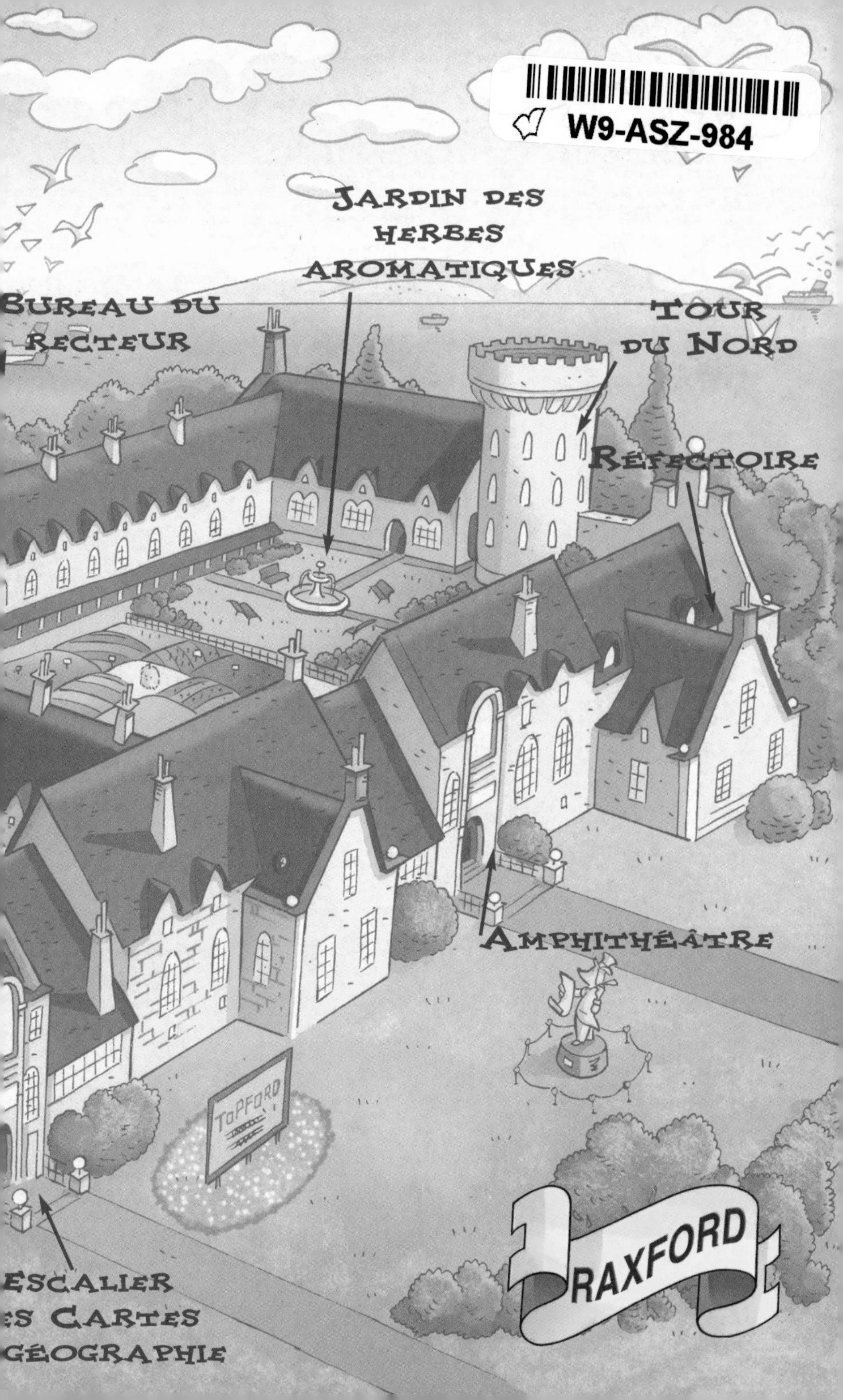
JARDIN DES
HERBES
AROMATIQUES
BUREAU DU
RECTEUR
TOUR
DU NORD
RÉFECTOIRE
AMPHITHÉÂTRE
TOPFORD
ESCALIER
ES CARTES
GÉOGRAPHIE
RAXFORD

Bienvenue
dans le monde des

Ce livre
appartient à :

Salut, c'est Téa !

Oui, Téa Stilton, la sœur de *Geronimo Stilton* ! Je suis envoyée spéciale de l'**Écho du rongeur**, le journal le plus célèbre de l'île des Souris. J'adore les voyages et l'aventure, et j'aime rencontrer des gens du monde entier !
C'est à Raxford, le collège dont je suis diplômée et où l'on m'a invitée à donner des cours, que j'ai rencontré cinq filles très spéciales : Colette, Nicky, Paméla, Paulina et Violet. Dès le premier instant, elles se sont liées d'une véritable amitié. Et elles ont tant d'affection pour moi qu'elles ont décidé de baptiser leur groupe de mon nom : Téa Sisters (en anglais, cela signifie les « Sœurs Téa ») ! Ce fut une grande émotion pour moi. Et c'est pour ça que j'ai décidé de raconter leurs aventures. Les assourissantes aventures des...

TÉA SiSTERS !

Prénom : Nicky

Surnom : Nic

Origine : Océanie (Australie)

Rêve : s'occuper d'écologie !

Passions : les grands espaces et la nature.

Qualités : elle est toujours de bonne humeur... Il suffit qu'elle soit en plein air !

Défauts : elle ne tient pas en place !

Secret : elle est claustrophobe, elle ne supporte pas d'être dans un espace clos.

Nicky

Colette

Prénom : Colette
Surnom : Coco
Origine : Europe (France)
Rêve : elle fait très attention à son look. D'ailleurs, son grand rêve, c'est de devenir journaliste de mode !
Passions : elle a une vraie passion pour la couleur rose.
Qualités : elle est très entreprenante et aime aider les autres !
Défauts : elle est toujours en retard !
Secret : pour se détendre, il lui suffit de se faire un shampoing et un brushing, ou bien d'aller passer un moment chez la manucure.

Colette

Violet

Prénom : Violet

Surnom : Vivi

Origine : Asie (Chine)

Violet

Rêve : devenir une grande violoniste !

Passions : étudier. C'est une véritable intellectuelle !

Qualités : elle est très précise et aime toujours découvrir de nouvelles choses.

Défauts : elle est un peu susceptible et ne supporte pas qu'on se moque d'elle. Quand elle n'a pas assez dormi, elle n'arrive plus à se concentrer !

Secret : pour se détendre, elle écoute de la musique classique et boit du thé vert parfumé aux fruits.

Paulina

Prénom : Paulina
Surnom : Pilla
Origine : Amérique du Sud (Pérou)
Rêve : devenir scientifique !
Passions : elle aime voyager et rencontrer des gens de tous les pays. Elle adore sa petite sœur Maria.
Qualités : elle est très altruiste !
Défauts : elle est un peu timide… et un peu brouillonne.
Secret : les ordinateurs n'ont pas de secret pour elle. Elle est capable de résoudre des énigmes très compliquées en récoltant mille informations sur Internet !

PAULINA

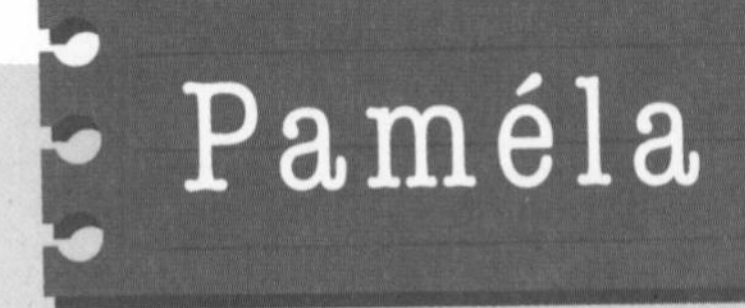

Prénom : Paméla

Surnom : Pam

Origine : Afrique (Tanzanie)

Rêve : devenir journaliste sportive ou mécanicienne automobile !

Passions : la pizza, la pizza et encore la pizza ! Elle en mangerait même au petit déjeuner !

Qualités : elle a beau avoir des manières un peu brusques, elle est la pacifiste du groupe ! Elle ne supporte ni les disputes ni les discussions.

Défauts : elle est très impulsive !

Secret : donnez-lui un tournevis et une clef anglaise, et elle résoudra tous vos problèmes de mécanique !

VEUX-TU ÊTRE UNE TÉA SISTER ?

ÉCRIS ICI TON PRÉNOM !

Prénom : __________

Surnom : __________

Origine : ____________________________

Rêve : ______________________________

____

____

Passions : ___________________________

Qualités : ___________________________

____

Défauts : ___________________________

Secret : ____________________________

____

COLLE ICI
TA PHOTO !

Texte : Téa Stilton.
Coordination : Piccolo Tao.

Édition : Red Whale, Katja Centomo et Francesco Artibani.
Direction éditoriale : Katja Centomo.
Coordination éditoriale : Flavia Barelli *et* Rosa Saviano.
Supervision du texte : Vincenzo Perrone.
Sujet : Francesco Artibani.
Supervision des dessins : Sergio Algozzino.
Illustrateurs : Fabio Bono, Federica Salfo, Giada Perissinotto, Giorgio Di Vita, Ida Maria Beretta, Luca Usai, Manuela Razzi, Marco Failla, Marco Gervasio, Marco Meloni, Marco Palazzi, Massimo Asaro, Raffaella Seccia, Sergio Cabella.
Coloristes : Donatella Melchionno, Ketty Formaggio, Nicola Pasquetto, Pseudo Fabrica, Serena Paccagnani, Tania Boccalini, Valentina Valentini – Stranemani srl.
Graphisme : Merenguita Gingermouse *et* Superpao. *Avec la collaboration de* Michela Battaglin.
Traduction : Titi Plumederat.

www.geronimostilton.com

Loi 49-956 du 16 juillet 1949 sur les publications destinées à la jeunesse
Dépôt légal : premier semestre 2006
N° d'édition : 17087/6
ISBN 13 : 978 2 226 17064 4
Imprimé en Italie par Deaprinting en Janvier 2009

LE CODE DU DRAGON

ALBIN MICHEL JEUNESSE

Salut, les amis !

VOUS AUSSI, VOUS VOULEZ AIDER LES TÉA SISTERS À RÉSOUDRE LE MYSTÈRE DU CODE DU DRAGON ?

CE N'EST PAS DIFFICILE. IL SUFFIT DE SUIVRE MES INDICATIONS !

QUAND VOUS VERREZ CETTE LOUPE, SOYEZ TRÈS ATTENTIFS : CELA SIGNIFIE QU'UN INDICE IMPORTANT EST DISSIMULÉ DANS LA PAGE.

DE TEMPS EN TEMPS, NOUS FERONS LE POINT, DE MANIÈRE À NE RIEN OUBLIER.

ALORS, VOUS ÊTES PRÊTS ?

LE MYSTÈRE VOUS ATTEND !

UNE MYSTÉRIEUSE INVITATION

Tout a commencé un soir de septembre.
Je venais de terminer mon dernier article pour L'ÉCHO DU RONGEUR, le journal que dirige mon frère, *Geronimo Stilton*. Ç'avait été une enquête facile, sur une affaire de fromages de contrebande. J'étais très contente : même les photos étaient réussies !
Je rentrai chez moi en me réjouissant à l'idée d'un bon bain relaxant parfumé à la violette. En ouvrant la porte de l'immeuble, je remarquai du coin de l'œil un gars, *ou plutôt un rat*, habillé en facteur, qui me dévisageait d'un air méfiant.

TÉA STILTON

– TÉA STILTON ? chicota-t-il d'une voix incroyablement stridente.

– OUI, c'est moi, répondis-je, intrigué.

– Téa Stilton, la célèbre sœur du célébrissime Geronimo Stilton ? poursuivit ce rongeur bizarre.

– Je vous ai déjà dit OUI !

– TÉA STILTON, la célèbre sœur du célébrissime *Geronimo Stilton*, directeur de L'ÉCHO DU RONGEUR, le journal le plus célèbre de l'île des Souris ?

– OUI, OUI et OUIIIIIIII !

Il fit un bond en arrière :

– Oh ! ne vous fâchez pas ! Je voulais simplement être sûr ! Vous savez, je dois vous remettre une lettre très PRÉCIEUSE ! Regardez : enveloppe jaune, parchemin, sceau de cire bleue... Ça, c'est du premier choix ! *Extra-luxe !* Rien à voir avec les prospectus de la supérette du coin !

Il n'avait pas tort. Cette lettre avait tout l'air d'un message de la plus haute importance. Mais de qui cela pouvait-il bien venir ?

J'avais le pelage qui se hérissait de curiosité, mais l'autre n'en finissait pas de chicoter à tort et à travers :

– Avez-vous la moindre idée du temps que j'ai passé ici à vous ATTENDRE ?? Bien sûr, j'aurais pu glisser l'enveloppe dans la boîte aux LETTRES, mais si on vous l'avait volée, hein ? Qui aurait été responsable, hein ? Dites-le-moi, allez ! Répondez !

J'avais les oreilles qui GRÉSILLAIENT !

Rapide comme un rat, je lui arrachai l'enveloppe des pattes et rentrai chez moi.

Avant de refermer la porte, je le remerciai :
– **Merci mille fois !** C'était très gentil à vous de m'attendre !
Tandis que je montai l'escalier, je l'entendis qui co t de parler tout seul ...

– Vous n'avez pas signé mon reçu !

Le collège de RAXFORD

Un dragon avec un « R » entre les pattes !

Une fois chez moi, je remarquai que, sur le sceau de cire, était apposé un cachet représentant un dragon qui tenait entre ses pattes la lettre « R ».
Je connaissais cette image : c'est le symbole de RAXFORD !

L'austère collège de Raxford.

Le vénérable collège de Raxford.

Le très prestigieux COLLÈGE DE RAXFORD, où l'on rend hommage à votre intelligence en vous y admettant, et où l'on vous honore en vous demandant d'y enseigner.

Qu'est-ce qu'ils pouvaient bien me vouloir ???

J'avais la queue qui frémissait d'émotion. Je brisai le sceau, ouvris l'enveloppe et…

WAOUH !

DOUBLE WAOUH !

TRIPLE WAOUH AVEC PIROUETTE !

Par le pelage pelé du chat-garou ! Je n'en croyais pas mes yeux ! Moi, oui, moi, TÉA STILTON, envoyée spéciale de L'ÉCHO DU RONGEUR, j'avais reçu une invitation officielle pour donner un cours de **journalisme d'aventure** à un groupe d'**ÉTUDIANTS** triés sur le volet et invités à Raxford pour l'occasion.

LE SAVAIS-TU ?

Les plus anciens **sceaux** servaient à fermer des rouleaux de parchemin ; ils étaient faits d'argile sur laquelle on imprimait le blason de la personne qui avait écrit le message. Aujourd'hui, on utilise des sceaux dans de nombreuses occasions. Par exemple, les pots de confiture peuvent être « scellés » avec une bandelette de papier collant qui joint le pot au couvercle. Si la bande de papier est intacte, on peut être sûr que le pot n'a pas été ouvert !

J'étais vraiment émue, heureuse et honorée ! Moi qui avais été étudiante au collège de *Raxford*, voilà qu'on **m'y appelait** pour que j'y sois professeur ! Je sentais que c'était le début d'une **grande aventure**...

Nuit d'étoiles et de voeux

Je pris connaissance des prévisions météo. C'était indispensable, car RAXFORD ne se trouve pas à Sourisia, sur l'île des Souris (là où je vis). Le collège a été construit il y a plus de mille ans sur l'*île des Baleines*, un piton rocheux couvert de forêts, au nord-est de l'île des Souris. Le seul moyen de s'y rendre, c'est par la MER !

Les prévisions n'étaient pas bonnes. Il devait y avoir encore un jour de beau temps, deux au maximum, avec une jolie brise de sud : l'idéal pour voyager dans ma direction avec le **VENT** en poupe. Mais des tempêtes se déchaîneraient ensuite, avec des rafales de vent du Nord.

Je fis un rapide calcul : mon cours commençait dans quatre jours… En théorie, je n'avais pas besoin de me presser. Mais ce vent du Nord risquait de me dérouter et *je ne supporte pas* d'être en retard. Je décidai donc de partir SUR-LE-CHAMP : j'avais à peine le temps de fourrer dans mon sac à dos les deux ou trois affaires indispensables dans les circonstances qui m'attendaient : une robe couleur GLYCINE pour les soirées importantes, un petit pull ROUGE et des chaussures de *randonnée* pour les excursions, un ciré JAUNE pour la traversée, et un survêtement BLEU. Je bouclai mes bagages et me dirigeai vers le port de Sourisia.

île des Baleines

Et, à minuit pile, j'avais déjà pris le large, à bord de mon catamaran transocéanique de compétition.

ROBE DE SOIRÉE

PULL

CHAUSSURES DE RANDONNÉE

CIRÉ

Quelle nuit merveilleuse !

Dans le ciel, les étoiles brillaient comme des diamants et, de temps en temps, une traînée lumineuse incendiait la nuit. Je fis plein de vœux ! Hélas, je ne peux pas vous les dire (sinon… ils ne se réaliseront pas), mais je veux vous dévoiler un secret. Parfois, il arrive qu'on ne voie une étoile filante qu'au dernier moment… Ça arrive à tout le monde, n'est-ce pas ? Dans ces cas-là, pour ne pas perdre de temps, j'ai toujours un vœu tout prêt. Je pense *rapidement* : « *qu'ils soient tous en bonne santé* », ou bien « *qu'ils soient tous heureux* », en essayant de penser intensément à toutes les

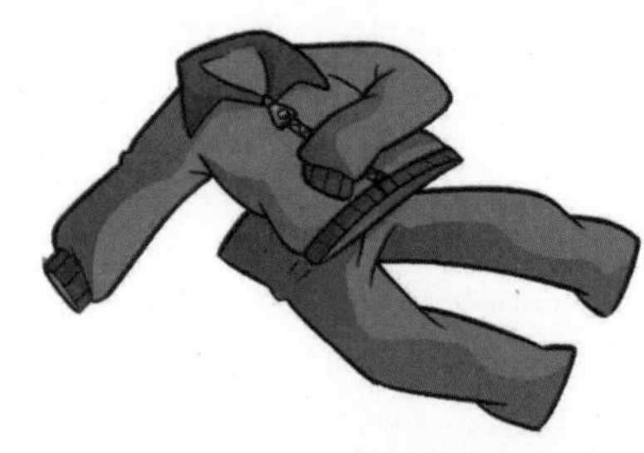
SURVÊTEMENT

personnes que j'aime. Ou bien je pense à tout le monde et je souhaite : « *la paix pour tous* ».

Je ne sais pas si ça marche, mais c'est quelque chose que je fais du fond du CŒUR, et, aussitôt, je me sens sereine, en paix avec l'univers entier.

C'est ainsi que je me sentais en cette nuit magique. Et puis il est arrivé…

Mais laissez-moi donc vous raconter !

LE CATAMARAN

Le **catamaran** est un bateau à voile ou à moteur, formé de deux coques parallèles accouplées par un pont. Ce mot vient de la langue tamoule : en tamoul, un *katta maram* désigne un canoë constitué par deux rondins de bois. Le plus grand des catamarans jamais réalisés mesure 76 mètres de long et environ 26 mètres de large.

T'AS TROUVÉ TON PERMIS DANS UNE POCHETTE-SURPRISE ?

Grâce au vent du sud, j'avais survolé les vagues ! À l'aube, l'*île des Baleines* était déjà en vue et je décidai de ralentir pour caresser la queue d'une baleine **bleue** de passage (vous devez savoir que les baleines adorent les caresses !). Je jouais avec ma nouvelle amie quand je vis une sorte de ligne blanche d'écume se soulever à l'horizon. « Bizarre ! pensai-je. C'est vraiment trop l o n g pour que ce soit une vague ! »

Je regardai mieux : elle se déplaçait.

VITE !

TRÈS VITE !

TRÈS TRÈS VITE !!!

Par toutes les puces épouillées du chat-garou !

C'était le sillage d'un **hydroptère**, une sorte de bateau qui, pour aller plus vite, a deux énormes skis fixés sous la quille.

Or cet hydroptère me fonçait droit dessus, comme s'il était le **maître** des mers !

LE RORQUAL BLEU

Le **rorqual bleu** (ou baleine bleue) est le plus grand animal qui ait jamais existé sur terre : il est même plus grand que les dinosaures ! Un spécimen adulte peut dépasser les 27 mètres de longueur et peser 130 tonnes. Cela représente une vingtaine d'éléphants (ou plus de 1 500 êtres humains !)

Je fis un double virage et évitai la **COLLISION** d'un poil. Il passa à *tribord* (ce qui, en langage maritime, signifie « à droite »), rasant mon catamaran, et souleva une vague énorme qui m'aspergea de la tête aux pattes.

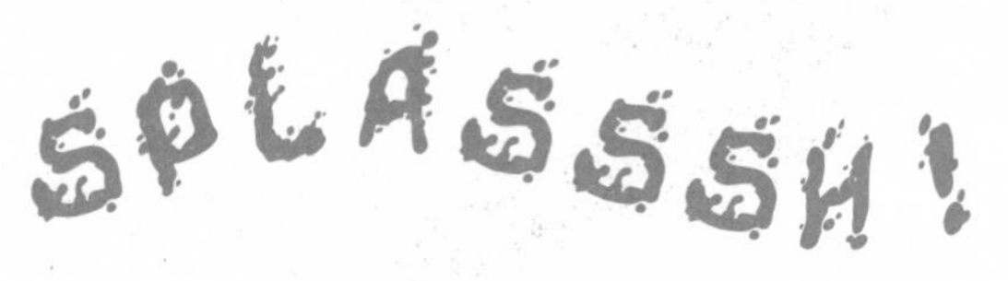

J'étais trempé comme un rat d'égout !
En plus, je me retrouvai avec, sur le sommet de la tête, une pieuvre de **SEPT KILOS !**
Je hurlai avec tout le souffle qu'il me restait :
– **T'AS TROUVÉ TON PERMIS DANS UNE POCHETTE-SURPRIIISE ?**
Mais l'autre était déjà loin et ne m'entendit probablement pas. Lui aussi se dirigeait vers l'île des Baleines. Il me tardait de le retrouver pour lui dire **deux** mots. Ou plutôt : **huit** mots ! Ou plutôt : **vingt-quatre mots !**

Bellâtre Septmerveilles

Quand j'arrivai au port… je vis aussitôt cette espèce de **rat d'égout** ! Ce SOUS-RAGOÛT DE SOURIS ! Ce nigaud ! Il était là sur la jetée, à côté de son hydroptère, à parader devant les passagers (ou plutôt les passag*ères*).

– Vous avez vu ce virage ? cet accostage ? ce mouillage ? En toute modestie, *hé, hé* ! je suis l'un des **meilleurs** capitaines des sept mers. Pour ne pas dire *le meilleur* !

Non, mais écoutez-moi ça ! Quel culot !!!

Le nigaud poursuivit :

– Je me souviens de ce jour où j'ai dû affronter une tempête au *cap Sourhorn*, les **VAGUES** étaient hautes comme des immeubles de trente étages !

Je me dis : « Je vais lui en faire voir, moi, des vagues de trente étages ! Et je vais même y ajouter un grenier et des combles ! »
Cependant il s'approcha de moi :
– Permettez que je me présente : capitaine *Bellâtre Septmerveilles*.
– **Enchantée !!!** lui hurlai-je dans les oreilles.
Il fit un triple salto arrière groupé-vrillé et, avant qu'il ait touché terre, je lui tartinai sur le museau un bon gros paquet d'*algues* puantes :

SPLAAATCH !

Avant qu'il ait pu dire ouf, je lui sifflai au museau tout ce que je pensais de lui.
– Tu parles d'un capitaine ! Un pirate, oui ! Tu ne connais pas *les règles de la mer* ? J'étais arrêtée et tu allais me rentrer dedans ! Pour un peu, nous allions tous finir dans la gueule des requins !
J'avais la queue qui tremblait d'exaspération !
Soudain, j'entendis un drôle de bruit…
Comme un : clap. Puis : clap-clap.
Puis : clap-clap-clap-clap-clap.
On m'applaudissait !

LES RÈGLES DE LA MER

En mer, ce sont toujours les bateaux qui ont le plus de difficultés à manœuvrer qui ont la **priorité**. Cela signifie que les bateaux à voile ont priorité sur ceux à moteur. Cependant, un bon commandant, même s'il a priorité, reste toujours sur ses gardes : l'autre navire peut avoir des problèmes de gouvernail, ou son commandant peut être distrait. Évidemment, les bateaux immobiles doivent être évités !

Cinq filles à l'air éveillé

C'étaient cinq filles à l'air éveillé : quatre m'applaudissaient, tandis que la cinquième, qui avait de magnifiques yeux en amande et de longs cheveux **noirs**, se tenait un peu à l'écart.

Bellâtre Septmerveilles haletait sous le tas d'algues : « Glb-bl-bl...

– Bien joué, sœur ! dit la première, une fille au teint **sombre**, avec une incroyable coiffure à la *frisure* très fine et très serrée.

– Celui-là, il commençait à nous *chauffer* les oreilles !

La deuxième, qui portait une LONGUE, TRÈS LONGUE, TRÈS TRÈS LONGUE TRESSE s'avança aussitôt pour expliquer :

– Paméla et moi, nous n'en pouvions plus de son bavardage.

Puis elle ajouta :

– Vous devez être Téa Stilton…

– TÉA STILTON ?! dit la troisième, une petite à l'air très sympa et qui portait un grand chapeau.

– Waouh ! Il faut absolument que vous me signiez un AUTOGRAPHE !

Je souris :

– On peut se tutoyer !

La deuxième continua en me tendant la patte :

– Elle, c'est Nicky, et moi, je m'appelle PAULINA… Et voici Colette et Violet

Colette était une blonde, toute (mais vraiment toute) de *rose* vêtue. Elle s'avança en soufflant sur ses ongles, pour faire sécher son vernis (rose) :

– La traversée a été hor-ri-ble… pfff (elle souffla). Nous avons été ballottées de **Bas** en **Haut** du début à la fin… pfff (elle souffla encore). En mettant mon rouge à lèvres, je me suis fait une balafre du bout du nez jusqu'aux oreilles. pfff (elle souffla de nouveau). Pour le vernis, j'ai pensé qu'il valait mieux attendre d'avoir débarqué…

Nicky acquiesça en riant :

– Quelle traversée !

– Pardonnez-moi de vous interrompre…, coupa Violet, la fille aux cheveux noirs et aux yeux en amande, mais… *ça*, on en fait quoi ?

« *Ça* », c'était ce rat d'égout mariné de Bellâtre Septmerveilles !

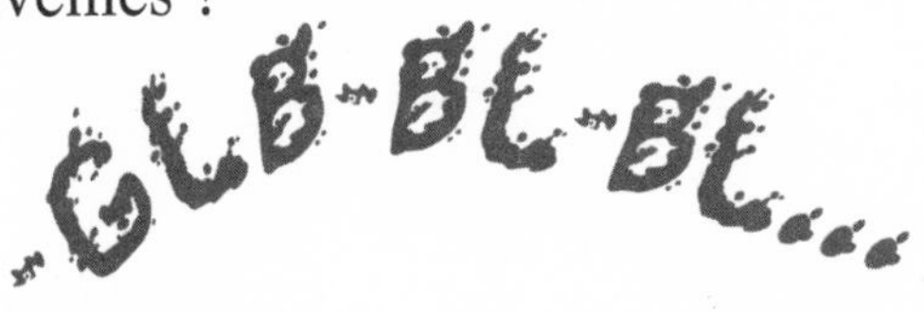

SOUPIR DE SOURIS !

Paulina, la fille à la tresse, s'approcha pour contrôler.

– Beurk ! La *puanteur* a dû l'étourdir ! dit-elle en se bouchant le nez.

En effet, ces algues dégageaient une odeur insupportable, et Bellâtre restait assis à terre, l'air hébété, incapable de se relever.

– La différence entre la *puanteur* et un parfum, ce n'est qu'une question de point de vue ! ricana Violet en plaçant une patte devant son museau.

Puis elle désigna les algues :
– Ainsi, cette bouillie d'origine marine plaît beaucoup aux mouches…
Colette tira de son sac (rose) un flacon de verre (rosé) qui contenait un mystérieux liquide (rose).
– Le pauvre ! On voit qu'il a l'odorat délicat. Je vais vous le remettre sur pied…
Elle versa deux gouttes du liquide sur un mouchoir (devinez de quelle couleur ?) et le lui secoua sous le museau. Les mouches décampèrent aussitôt en mettant le turbo. Bellâtre commença par froncer le nez, puis poussa un soupir… puis prit une LOOOOOONGUE INSPIRATION :

Il se frotta les yeux et lança autour de lui un regard subjugué.
Colette lui plaça de nouveau le mouchoir parfumé sous le nez et, petit à petit, elle parvint à remettre Bellâtre sur pattes.

– Pas mal, ce parfum. Comment s'appelle-t-il ? demandai-je.

– *Cuapitaine Buellâtre Sueptmervueilles*...

Je le foudroyai du regard :

– Pas **toi** ! Le parfum !

Colette me fit un clin d'œil d'un petit air futé :

– Le parfum s'appelle *Soupir de Sourip !*

Je souris :

– Un nom de circonstance ! Il faut que je l'essaye !

Nous éclatâmes toutes de rire. Quelle **merveille !** Ces jeunes filles me plaisaient déjà **BEAUCOUP** ! J'étais sûre qu'elles allaient me donner d'immenses satisfactions !

Il n'y avait qu'une petite fausse **note...** Depuis que j'avais mis patte à terre, je ne sais pas pourquoi, mais je ressentais un petit picotement sur la nuque... comme une puce agaçante... *comme si quelqu'un était en train de m'épier...*

Bah!

LE PARFUM

La technique la plus ancienne pour obtenir du parfum est celle de la **distillation**. Il faut procéder ainsi : on fait bouillir de l'eau pour la transformer en vapeur. La vapeur passe dans un récipient spécial, rempli de fleurs, de fruits ou de bois odorant, et « capture » les odeurs. Quand elle refroidit, elle se transforme en liquide parfumé. ATTENTION : il ne faut pas faire cela chez soi. Ce procédé nécessite des instruments particuliers, tels les **alambics**, qui sont des sortes de vases de verre qu'utilisent les chimistes.

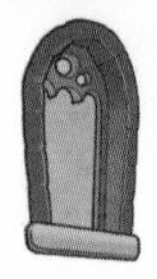

UN DE PLUS, PAS UN DE MOINS !

Je me retournai vers RAXFORD. Le bâtiment, construit sur une colline pas très loin de la mer, se découpait, avec ses **toits sombres** et ses deux tours latérales, sur le bleu du ciel.

Au sommet d'une des tours, derrière une fenêtre voûtée, il me sembla entrevoir, pendant un instant, une **ombre...**

Bah !

Cependant les cinq filles avaient commencé à descendre leurs bagages de l'hydroptère.

Je leur demandai :

– Vous avez besoin d'un coup de patte ?

– Merci, on contrôle la situation ! répondit Nicky en levant le pouce.

Je les saluai et pris le sentier pavé qui conduisait au collège. Encore une fois, j'eus la très nette impression que quelqu'un m'OBSERVAIT. Je regardai autour de moi, mais ne vis personne...

Bah !

Quelle journée ! Le SOLEIL resplendissait et la nature était une fête des couleurs : le jaune vert de l'herbe à la fin de l'été ; le blanc, le bleu et le rose des fleurs de septembre ; le violet et le rouge des fruits, et, plus haut, le vert brillant des feuilles d'un arbre centenaire. Que de souvenirs... Quand j'étais étudiante à Raxford, je venais réviser mes cours à l'ombre de ce vieil arbre !

Plus loin, au-delà du collège, les prés cédaient la place à une forêt de chênes et de châtaigniers. Plus haut encore, le paysage était plus RUDE : des roches POINTUES et des figuiers

de barbarie s'accrochaient au PIC DU FAUCON, où se dressait le dôme de l'observatoire astronomique. *Raxford* n'était plus très loin : je pouvais déjà déchiffrer la devise du collège, gravée sur une plaque à côté de la porte d'entrée :

Ces mots m'avaient toujours fascinée. Ils signifiaient : « *Un de plus à franchir le seuil de la connaissance ! Et jamais un de moins !* »

J'allais entrer quand…

– HÉ, VOUS ! OÙ ALLEZ-VOUS COMME ÇA ?!

Cette voix (stridente) me rappela quelqu'un.

– C'est que je viens de laver par terre, *moi* !

Je me présentai :

– Bonjour, je m'appelle TÉA STILTON… Je suis enseignante…

Un gars, *ou plutôt un rat*, à la mine FÂCHÉE sortit de la pénombre.

– Ne changez pas de conversation, *ma petite demoiselle* ! Vous avez idée du temps que ça prend de laver les couloirs d'un endroit pareil, hein ? Vous le savez, oui ou non ? Il y en a des kilomètres !

Pendant qu'il parlait, je pensai que ce drôle de

type me rappelait quelqu'un… Mais oui, bien sûr ! Il me rappelait ce facteur qui m'avait remis l'invitation pour Raxford ! Il avait la même voix (stridente) et il était tout aussi râleur !

– Excusez-moi… Auriez-vous un frère, par hasard ? demandai-je, curieuse.

– Non, je n'ai pas UN frère ! chicota-t-il, exaspéré. Arrêtez de me faire perdre mon temps avec vos questions ! Et essuyez vos pattes avant d'entrer !

J'obéis.

Je franchis l'entrée du collège.

Que de souvenirs !

TOUT L'HONNEUR EST POUR MOI !

Au pied du grand escalier des *Cartes de géographie*, se dressant comme un monument, je reconnus le recteur :

Octave Encyclopédique de Ratis,
Magnifique Recteur de Raxford.

– Mademoiselle Stilton, c'est un honneur de vous revoir…

Il vint à ma rencontre, un pouce glissé dans le gousset de son gilet et le bras droit dans le dos.

Je **SOURIS** en faisant une demi-révérence :

– Tout l'honneur est pour moi !

– Non, j'insiste : l'honneur est pour moi ! répliqua-t-il d'un ton sévère.

AVE ENCYCLOPÉDIQUE DE RATIS

Nous nous tenions à un pas l'un de l'autre et nous regardions fixement dans les yeux…

tic-tac tic-tac

Une seconde…

deux secondes…

tic-tac **trois secondes…** tic-tac

Puis nous éclatâmes de rire au même moment. Le recteur écarta les pattes :

– Chère Téa, c'est un plaisir *immense* de te revoir ! Nous nous embrassâmes comme de vieux amis, parce que c'est bel et bien ce que nous sommes désormais : DES AMIS ! Bien sûr, cela n'a pas toujours été le cas. Lorsque j'étais étudiante, il était déjà *Recteur* et il m'impressionnait beaucoup. Puis, en GRANDISSANT, j'ai découvert que même les rongeurs les plus sévères peuvent avoir un **cœur** aussi tendre que le camembert ! Le recteur me précéda dans son bureau, pour que nous bavardions un peu. Tout était comme dans mes souvenirs : le salon, la cheminée avec la mappemonde, la petite bibliothèque pleine

de *Livres anciens* et l'énorme table de bois massif, toujours en ordre, avec la plume d'oie et l'encrier rempli d'encre bleue.

– Tu étais vraiment... DISSIPÉE ! dit le recteur en souriant devant ma photo accrochée au mur. Mais tu avais déjà une intelligence BRILLANTE !

Je rougis légèrement. Je dois vous dire que le *Recteur* est la seule personne au monde capable de me mettre dans l'embarras !

Mais j'étais très fière de ce qu'il avait dit et de voir mon portrait accroché parmi ceux d'illustres rongeurs, tous anciens étudiants de *Raxford* !

Nous nous installâmes dans le salon. Il m'offrit un thé et des biscuits au parmesan caramélisé. J'appris que j'étais la PREMIÈRE arrivée parmi les enseignants. On attendait encore le professeur Wunderrat (sa photo était accrochée au-dessus de la mienne, signe qu'il avait obtenu son diplôme quelques années avant moi), et un certain Bartholomé Delétincelle. Sa photo était la dernière, en bas.

Le recteur était impatient de me le présenter :

– Il a obtenu son diplôme l'an dernier, mais il a déjà fait preuve d'une grande *valeur !* C'est vraiment un savant au poil !

Je discutai avec mon ami le recteur en grignotant des biscuits jusqu'à ce que nous entendions des VOIX dans le lointain.
Nous nous mîmes à la fenêtre et vîmes monter par le sentier les cinq filles que j'avais connues au port.

HISTOIRE DE MOTS

Magnifique est le mot par lequel on désignait, à la Renaissance, certains seigneurs nobles (par exemple Laurent le Magnifique, seigneur de Florence). Le mot **magnifique** signifie « *qui fait de grandes choses* ». Aujourd'hui encore, dans certains pays, on applique cette qualification aux *recteurs*, c'est-à-dire à « *ceux qui commandent* » une communauté (par exemple une Université). Ainsi, le titre *Magnifique Recteur* signifie « *celui qui commande et fait de grandes choses* » !

Horace Wunderr
Téa Stilton
Barthélemi Délétincelle

QUELLE SOURIS BIZARRE !

Nous nous dirigeâmes vers l'escalier pour descendre au rez-de-chaussée quand, brusquement…

La porte de la bibliothèque réservée aux étudiants s'ouvrit d'un coup. Le recteur fit un bond en arrière pendant que retentissaient des bruits d'écroulement. Je m'approchai.

Par terre, encastré dans une longue échelle et enseveli sous une montagne de…

…gisait un type grand et maigre, portant d'épaisses lunettes rondes, avec une tignasse qui lui cachait la moitié du museau.

Je me précipitai pour l'aider.

– *Scouiiit !* se plaignit-il. T-tout va bien… (*ouille ouille ouille*), ajouta-t-il d'un ton faussement désinvolte.

Le Recteur était contrarié : *Chaperlipopette et nom d'un rat !* Monsieur Ratello ! Peut-on savoir ce que vous maniganciez ?!

L'autre s'excusa :

– Je voulais prendre un livre tout en haut…

En disant ces mots, il repoussa le volume de l'*Histoire du manoir de Raxford*, jeta un coup d'œil à *Pièges, embuscades et chausse-trappes*, écarta *Antiques et mystérieux symboles*, et pêcha dans le tas un petit livre intitulé : *Traquenards et souricières.*

– *Le voici ! Hé, hé ! Hum...*

Bien qu'il fût plutôt **CONTRARIÉ**, le recteur me présenta l'étudiant.

– Téa, je te présente monsieur HANS RATELLO, qui est inscrit, lui aussi, au cours de journalisme. Cela fait déjà plusieurs jours qu'il est ici…

– Eh oui... Hé, hé ! Hum...

Quelle souris bizarre ! Je ne sais pas pourquoi, mais ce visage ne m'était pas inconnu... J'essayais de comprendre où j'avais bien pu le voir quand...

– TRÈS BIEN ! BRAVO !

Le gars (*ou plutôt le rat*) qui m'avait arrêtée à l'entrée de *Raxford* sortit de nulle part.

Je murmurai au recteur :

– Il a la voix d'un facteur que j'ai connu à Sourisia !

Il sourit :

– C'est sûrement son frère **Porphyre**, le facteur de l'île. Je l'avais chargé de t'expédier notre invitation, mais il a préféré te l'apporter lui-même ! Pas vrai, **Isidore** ?

Le gars, c'est-à-dire Isidore, nous regardait d'un air renfrogné. Je repensai à la question que je lui avais posée en entrant dans le collège. Je m'exclamai, surprise :

– Vous m'avez menti ! Je vous avais demandé si vous aviez des frères et *vous m'avez dit que non* !

Vous avez remarqué, vous aussi ?
Où avais-je bien pu voir Hans Ratello ?
Peut-être dans le bureau du recteur ?

Anciennes familles

Les Rondouillard

1 Hippolyte Rondouillard, dit Bonace, le père, pêcheur.

2 Josette Calamar, la mère, paysanne et peintre sur vases e terre cuite.

3 Isidore Rondouillard, rongeur à tout faire de Raxfor (jardinier, électricien, porteur, rongeur de ménage...).

4 Rondouillette Rondouillard, cuisinière à Raxford (mai aussi blanchisseuse, brodeuse...).

5 Porphyre Rondouillard, fermier et postier.

6 Casimir Rondouillard, dit la Friture, propriétaire du restau rant *L'Antique Cancoillotterie*.

7 Léopold Rondouillard, pêcheur.

8 Michel Rondouillard, émigré (mais où est-il ? Nul ne sai Que fait-il ? Bof ! Toutes les photos de lui ont mystérieusemen disparu. Pourquoi donc ?).

de l'île des Baleines

Les Calamar

1) CRAPOTINE RONDOUILLARD, la mère (sœur du grand-grand-grand-oncle du grand-père d'Hippolyte Rondouillard), brodeuse.
2) PROSPER CALAMAR, le père (frère du neveu de la cousine au sixième degré de la tante de Josette Calamar), maçon.
3) MARA CALAMAR, qui élève des ânes. Grande danseuse.
4) SARDINOTTE CALAMAR, pêcheuse.
5) CAMOMILLE CALAMAR, qui, en général, dort (quand elle est éveillée, elle passe son temps à faire des histoires pour un oui ou pour un non).
6) TAMARA CALAMAR, la belle du village.
7) ÉCHALOTE CALAMAR, dite Patatrac, championne de judo.
8) GONZAGUE CALAMAR, dit Bedon, fort, très fort, très très fort (mais il ne ferait pas de mal à une mouche !).

Isidore n'était pas d'accord :
– Halte là, *ma petite demoiselle !* Vous m'avez demandé si j'avais UN frère. Je n'ai pas UN frère ! J'en ai CINQ ! C'est clair, *ma petite demoiselle* ? Rappelez-vous : quand on veut des réponses précises, il faut poser des questions précises, sinon c'est trop facile d'accuser les autres ! Et maintenant, *ouste* ! Laissez-moi travailler !
Il secoua son balai pour se donner de l'importance et commença à ranger la bibliothèque.

HANS RATELLO proposa de l'aider. C'était un beau geste, mais... Plus je le regardais, plus j'en étais sûre : *j'avais déjà vu ce type quelque part !*

MAIS OÙ ?

QUELQUES PETITES CHAMAILLERIES...

Nous sortîmes du bâtiment. Nicky, la jeune fille au chapeau de *cowboy*, était déjà là. Elle souleva son chapeau et dit en souriant :

– J'ai fait un PETIT FOOTING !

Le recteur lui souhaita la bienvenue.

Les quatre autres (avec le rat d'égout marin, c'est-à-dire Bellâtre Septmerveilles) étaient encore sur le sentier.

Paméla avançait en grignotant un goûter aux quatre fromages ; elle portait un sac ethnique sur l'épaule et une valise rouge. PAULINA paraissait très émue : elle regardait autour d'elle, prenait des photos en rafale et observait tout avec une grande curiosité.

Elle avait un sac à dos de *randonnée* et une sacoche pour ordinateur portable en bandoulière. Violet marchait droite comme une reine. Elle portait un étui à violon sur le dos et un coffret de bois rouge avec des ornements d'or. Elle le serrait si fort dans ses pattes qu'on devinait qu'elle y tenait vraiment beaucoup.

Quant à Colette, elle flânait tranquillement avec son sac à patte (rose).

Fermant la marche, *Bellâtre Septmerveilles* haletait sous l'énorme charge qu'il portait sur le dos, une montagne de bagages de toutes dimensions :

- une malle (rose),
- une grosse valise (rose),
- deux cartons à chapeaux (à rayures blanches et roses),
- une valisette (rose pâle),
- un sac à dos (rose),
- un parapluie (rose vif, presque fuchsia),
- un sac fourre-tout (à pois roses),
- une bouteille (rose) d'eau minérale.

C'était le *petit bagage* de Colette !

– Tu exagères..., soupira Violet.

– C'est lui qui s'est proposé ! répliqua Colette, vexée. Moi, je ne lui ai rien demandé !

– Admettons. En tout cas, ce n'est pas un comportement correct...

Colette se fâcha :

– Pourquoi cela ? Tu avais envie de me les porter, toi, mes bagages ?

Pamèla intervint :

– Du calme, sœurs ! Vous vous ÉCHAUFFEZ un peu trop ! Retournez au *box* et faites contrôler le carburateur !

Violet la regarda d'un air interrogateur.

– *Box ?* Mais de quoi parles-tu ? Comment parles-tu ?

PAULINA expliqua :

– Paméla suggère qu'il vaudrait mieux arrêter cette DISCUSSION avant qu'elle ne se transforme en dispute.

– Si ça ne tenait qu'à moi…, dit Violet dans un haussement d'épaules.

– Trop aimable, *princesse* ! rétorqua Colette.

Paméla ne supportait pas cette tension :

– Allez, courage ! dit-elle en souriant. De toute façon, il faudra bien que Bellâtre reparte, non ?

Paulina secoua la tête et indiqua le ciel :

– Je ne pense pas qu'il puisse reprendre la mer. Regardez ce faucon, là-haut… Il vient juste de changer de direction ! Avant, il prenait le vent du sud, maintenant, il le prend du nord...

– Et alors ?!

Les autres ne comprenaient pas. J'intervins :

– PAULINA a raison. C'est le signe que le temps est en train de changer !

Le recteur se GRATTA une oreille.

– L'hydroptère ne pourra pas repartir, continuai-je. Quand le vent du nord souffle, l'*île des Baleines* est

LES RECORDS DE LA NATURE

Le **faucon pèlerin** est un véritable acrobate ! Pendant la *« parade nuptiale »*, le mâle et la femelle se livrent à des évolutions compliquées et échangent en vol les proies qu'ils ont capturées. En piqué, c'est-à-dire quand ils descendent en fermant les ailes, ils peuvent frôler les 400 kilomètres à l'heure !

REGARDEZ LE FAUCON,
LÀ-HAUT !

CRI-CRI-CRI... SCOUIIIIIIIIT !!!

Les filles se présentèrent au recteur, qui les reçut dans son bureau. Nicky et moi en profitâmes pour aller aider le **RAT D'ÉGOUT** de transport (c'est-à-dire Bellâtre).

Il était temps ! Il allait s'effondrer dans une mare de sueur, PÂLE et DÉGOULINANT comme une mozzarella essorée ! Je lui offris un verre d'eau (puis *deux*, puis *trois*, puis *toute* la bouteille) et je le renvoyai au port.

Avant de s'en aller, il lança un regard de rongeur FRIT en direction de *Colette* (ce parfum l'avait vraiment ensorcelé !).

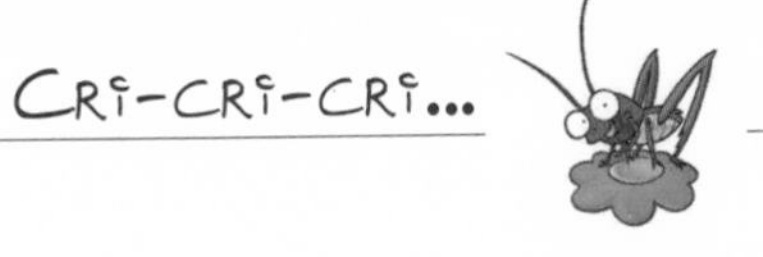

Je saluai tout le monde et allai prendre une douche. La nuit en mer avait été vraiment longue… très belle mais l o n g u e. J'avais besoin d'un peu de repos.

Au bout d'un moment, j'entendis les filles qui découvraient leurs chambres.

Nicky prit le sac de Paméla et le lui lança :

– À LA VOLÉE !

– Merci, sœur ! dit Paméla.

Nicky regarda autour d'elle :

– Et ça, c'est à qui ?

Violet sursauta. Nicky avait pris son coffret de bois rouge décoré de dragons dorés.

– Laisse tomber ! s'écria Violet en se précipitant pour le récupérer avec ses autres bagages. Merci ! Je m'en occupe.

Nicky la regarda puis haussa les épaules. Pendant ce temps, Paulina SAUTILLAIT d'une chambre à l'autre.

– Quelle merveille !

US ET COUTUMES

Depuis toujours, en Chine, le **grillon** est considéré comme un animal de compagnie. Aujourd'hui encore, durant l'hiver, il n'est pas rare d'en voir un sortir du manteau ou du blouson de son maître, qui le protège ainsi contre le froid. Les plus anciens témoignages de cette tradition sont les **cages à grillons**, minuscules boîtes percées de trous, faites en argent, en ivoire et en jade.

Paméla s'exclama :

– Eh, sœurs ! Il y a un problème... Ce sont des chambres de deux lits et nous sommes cinq. L'une de nous va devoir dormir seule...

Paulina se tourna vers Nicky :

– Si ça ne vous ennuie pas, je voudrais être avec Nicky. On a plein de choses à se raconter.

– Pour moi, c'est égal..., sourit Colette en se regardant dans le miroir.

– Pendant que vous vous décidez, j'en profite pour me faire un brushing...

– J'ai une idée, reprit Paméla. Prenons un lit dans une autre chambre et faisons une chambre pour trois personnes !

Nicky proposa de l'aider. Violet intervint :
– Excusez-moi si je ne viens pas avec vous, mais je dois donner à manger à Frilly...
– *Frilly ?!?*
Nicky, Paméla et Paulina la regardèrent. Violet sourit et leur montra une petite citrouille sèche de couleur orange. Elle l'ouvrit et l'on entendit un cri-cri. Puis : cri-cri-cri...
Paméla hurla :
– Scouiiiiiiit ! Mais qu'est-ce que c'est que ce truc ?
– C'est un grillon ! répondit Violet, agacée.
– *Grillon, sauterelle, mille-pattes...* pour moi, c'est du pareil au même ! Ça me donne de l'urticaire !
Violet soupira. Puis, lentement, elle rassembla tous ses bagages...

RÈGLEMENT DE RAXFORD

1) Raxford est un endroit réservé à l'étude. Les compor
ments qui peuvent déranger ou distraire les étudiants s
interdits.

2) Raxford est un lieu vénérable. Les étudiants doivent
respecter et éviter les dégradations.

3) La bibliothèque de Raxford est à la disposition de tous
étudiants. Chaque livre doit être traité avec soin et respe
et doit être remis sur le rayonnage où il a été pris.

4) Chaque étudiant est responsable de l'ordre et de la p
preté de sa chambre.

5) Les repas sont servis selon les horaires officiels, affic
dans le réfectoire. Ils sont pris en commun (professeurs
élèves). Il est exigé des étudiants qu'ils aillent aider à tour
rôle en cuisine.

6) Raxford est un lieu de rencontre et d'échange : chac
étudiant devra présenter en public son pays d'origine.

7) Sauf autorisation expresse pour des cas particuliers, il
absolument interdit de sortir de sa chambre la nuit ou
quitter Raxford après le coucher du soleil.

.es étudiants et les professeurs de Raxford sont les hôtes 'île des Baleines : ils doivent respecter les croyances et la ure des habitants de l'île.

'île des Baleines et la mer qui l'entoure sont une « oasis ırelle protégée » : chacun est prié de respecter la nature ; toutes ses formes (pour en savoir plus, on peut consulter uide : *À la découverte de l'île des Baleines*).

Les souterrains de Raxford et la partie nord de l'île des ines sont interdits à tous les étudiants, sauf autorisation iale.

LE MAGNIFIQUE RECTEUR

Octave Encyclopédique de Ratis

NOS ÉTUDIANTS ! *NOS CHAMBRES !*

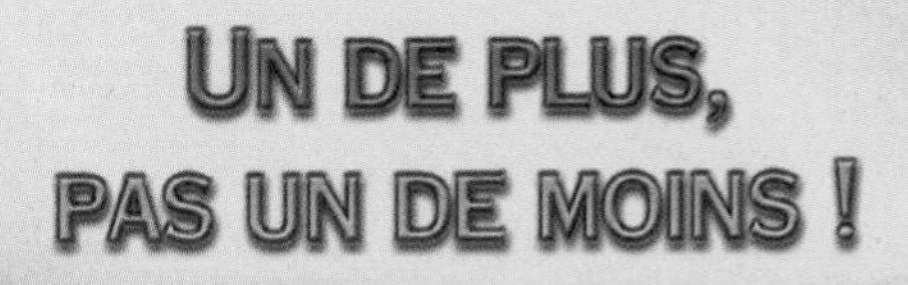

TONNERRE, FOUDRE ET ÉCLAIRS

Je m'étais assoupie et rêvais de la mer... une mer bleue et une plage de sable blanc... Les palmiers ondulaient langoureusement, bercés par une brise légère... Puis le vent devint plus fort... trop FORT ! Je fus réveillée par un formidable grondement de tonnerre qui fit trembler les fenêtres de *Raxford* !

Saprisouristi, le temps avait changé !

Je m'approchai de la fenêtre.

La mer, illuminée par les éclairs, était tempétueuse.

Ma montre indiquait qu'il était l'heure du dîner.

Je me préparai en moins de deux.

Dans le couloir, les lampes diffusaient une lueur vacillante.

Je vis deux ombres qui s'étiraient sur le sol...

– *Salut, Téa !*

C'étaient Nicky et Paulina. Paulina sourit :

– Je crois qu'on s'est perdues !

Je me rappelais un raccourci pour arriver au rez-de-chaussée, où était le réfectoire. Nous prîmes à droite et commençâmes à descendre l'escalier.

Nous descendîmes...

Descendîmes...

Descendîmes...

NOUS TOMBÂMES ENFIN SUR UNE PETITE PORTE.

– *Par toutes les poches des marsupiaux !* Ce n'est pas le réfectoire ! s'exclama Nicky. Où sommes-nous donc ?!

C'était une sorte de remise, bourrée d'objets bizarres recouverts de draps blancs. Je reconnus la silhouette d'un piano et, devant moi, il y avait... qu'est-ce que c'était ? Un portemanteau ? une statue ? ou peut-être...

Paulina était inquiète :

– Je n'aime pas ça... On dirait un fantôme !

Nicky se plaça devant elle pour la protéger.

D'un geste DÉCIDÉ, elle retira le drap.

– Mais c'est... mais c'est... un DRAGON !

CURIOSITÉ

Dans les anciennes légendes, le **dragon** représentait la force : les Vikings sculptaient des dragons de bois pour les placer sur les bateaux. Les chevaliers en peignaient sur leurs boucliers et sur leurs drapeaux. En Orient, le dragon représente le soleil qui se lève et c'est un symbole de chance.

Un dragon de bois sculpté ! s'exclama PAULINA.
Nous étions encore abasourdies par ces découvertes quand…
– *Mes petites demoiselles !* Que faites-vous là ?

Vous risquez votre pelage à vous aventurer là où vous n'avez rien à faire !

C'était lui, encore : **Isidore Rondouillard !**
Il nous chassa de là en nous indiquant le chemin pour le réfectoire.
Je n'arrivais pas à me défaire d'une sensation BIZARRE.
C'était comme si, dans cette pièce étrange, il y avait eu quelque chose d'autre.
Ou quelqu'un d'autre...

INDICE

Quelqu'un se cache dans cette pièce.
L'as-tu trouvé ?

IL Y A UN PROBLÈME ?

– Ils vont tout manger, hein ? TOUT TOUT TOUT ! Sinon, ils seront privés de dessert !

Quelle voix **stridente** !

Devinez qui servait à table ?

Mais oui : **Rondouillette Rondouillard**, la sœur du facteur et du jardinier ! Elle passait d'une table à l'autre et ne cessait de jacasser.

– Alors, elle n'est pas bonne, ma timbale aux sept fromages, hein ? Hé, hé ! En toute modestie… C'est une recette secrète ! *Secrète secrète secrète !*

INDICE !

Colette, Paulina, Nicky, Paméla et HANS RATELLO (qui était arrivé au dernier moment, tout essoufflé) avaient pris place à la même table. Violet était assise toute seule dans

Comment Hans Ratello a-t-il fait pour arriver tout essoufflé au dernier moment ? Peut-être se cachait-il non loin de là !

son coin et ne mangeait presque rien… Heureusement, Rondouillette semblait avoir un faible pour son ami le grillon.

– Il est t'y pas mignooooon ! Regardez-moi comment qu'il boulotte sa petite feuille de laitue ! Il va TOUT TOUT TOUT manger !

Je m'assis à une table avec mon ami le Recteur. Il m'expliqua que nous étions descendues par l'escalier qui mène aux souterrains, une zone interdite aux étudiants.

Évidemment, je pris sur moi toute la responsabilité de ce qui s'était passé. Je lui rapportai aussi l'étrange menace d'Isidore :

« *Vous risquez votre pelage à vous aventurer là où vous n'avez rien à faire !* »

Le recteur soupira :

RONDOUILLETTE RONDOUILLARD

– En effet, d'après certaines *légendes*, des rongeurs auraient disparu jadis dans les souterrains du collège. Comment savoir si c'est vrai ? Cependant, à l'autre table, les filles et Hans Ratello nouaient amitié.

Nicky et Paulina parlaient d'écologie : toutes deux appartenaient à une association écologiste : LES SOURIS BLEUES.

Cependant Violet s'était mise à lire.

Je me levai et m'approchai de sa table.

- Il est mignon, ce grillon. Comment s'appelle-t-
l ? demandai-je.
- Frilly, répondit Violet sans me regarder.
'insistai :
- Il y a un problème ?
)e la tête, elle fit signe que **non**.
e lui souris.
- Violet, tu devrais essayer de te lier avec les autres
illes. C'est bien d'échanger des points de vue !
Enfin, elle me regarda. Je compris que, d'une
nanière ou d'une autre, j'avais visé juste.
- Il ne faut pas toujours reje-
er la faute sur les autres.
Réfléchis, toi aussi, à ce
que TU pourrais faire
pour créer un bon cli-
nat ! Qu'en dis-tu ?
Violet baissa le regard.
Cependant, à la table
voisine, Hans Ratello
se leva en bâillant.
- Je suis épuisé ! Il est
emps d'aller au dodo...

Rondouillette marmonna :

– En tout cas, ne sortez pas la nuit ! *Vous risquez votre pelage à vous aventurer là où vous n'avez rien à faire ! Tout tout tout !*

Quelle famille, ces Rondouillard !

ILS SE RESSEMBLAIENT EN TOUT !

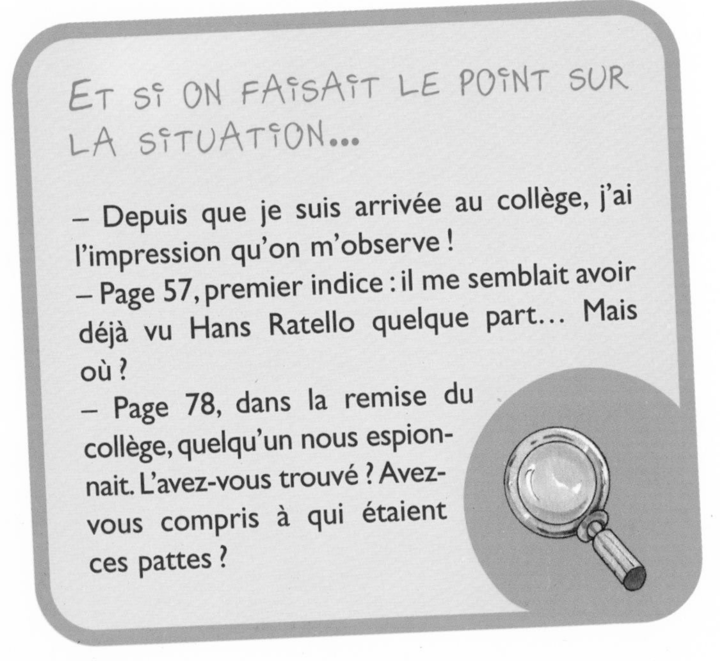

ET SI ON FAISAIT LE POINT SUR LA SITUATION...

– Depuis que je suis arrivée au collège, j'ai l'impression qu'on m'observe !

– Page 57, premier indice : il me semblait avoir déjà vu Hans Ratello quelque part... Mais où ?

– Page 78, dans la remise du collège, quelqu'un nous espionnait. L'avez-vous trouvé ? Avez-vous compris à qui étaient ces pattes ?

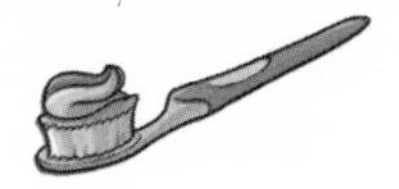

QUI EST-CE QUI HULULE ?

Je saluai tout le monde, allai prendre mon ciré jaune dans ma chambre et montai au sommet de la tour du Sud pour prendre une bonne bouffée d'AIR frais. Quand j'étais étudiante, j'y allais souvent. C'était mon refuge SECRET !

La pluie et le vent s'étaient calmés, mais la tempête n'était pas finie. Le ciel était zébré de zigzags lumineux ; tout autour, les nuages répandaient des ÉCLAIRS suivis par des grondements sourds. *C'était un spectacle fascinant.* Je pensai à Violet et aux quatre autres filles.

Quand on rencontre de nouveaux amis, il est important de trouver la bonne manière de communiquer.

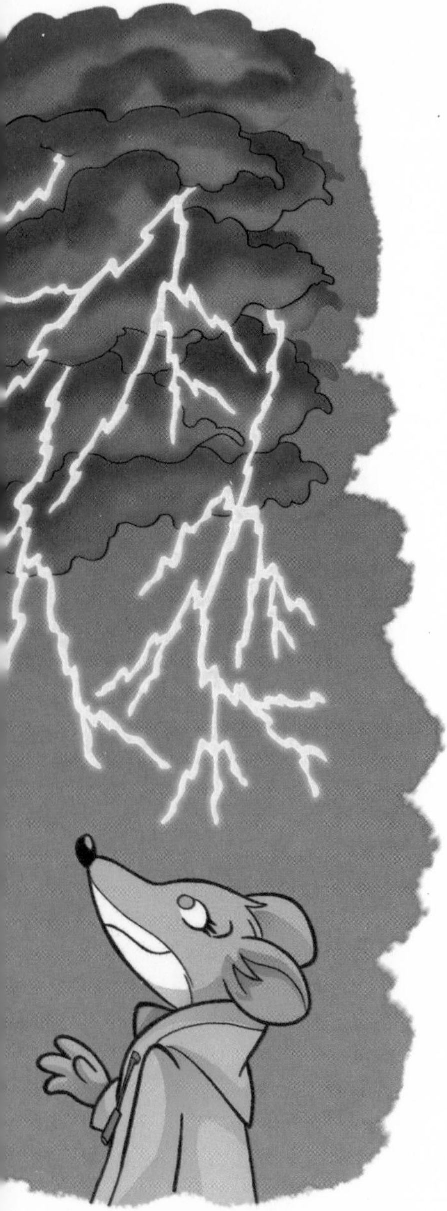

Chaque nouvelle rencontre nous met en contact avec un **monde** qui peut être différent du nôtre. C'est pourquoi il faut rechercher, petit à petit, ce qui nous **unit**, en respectant les différences des autres.

Cela ne se fait pas en cinq minutes, il y faut du temps et de la *patience*... Mais j'étais sûre que ces cinq filles allaient devenir amies.

J'inspirai profondément l'air **FRAIS** de la nuit. Il était l'heure d'aller au lit.

En retournant dans ma chambre, je passai devant la porte de Hans Ratello.

JE L'ENTENDIS RONFLER.

Quelle souris bizarre : *j'étais toujours sûre et certaine de l'avoir déjà vue quelque part... Bah !*
Je me brossai les dents, enfilai mon pyjama préféré et, trois minutes plus tard, tombai de nouveau dans le monde des rêves.
C'est un effroyable gémissement qui me réveilla à l'aube. Une espèce de aaa-êêêê-euêêêê.
Et même : Ouuuu-éééééé-ouuuu-hooooo...
Mais qui était-ce ?

FOUDRE ET ÉCLAIRS

Chaque jour, sur notre planète, éclatent environ **44 000** orages, et l'on compte **100** éclairs à la seconde. Pour calculer la distance en mètres qui nous sépare du point d'impact de la foudre, il faut multiplier par **340** les secondes qui s'écoulent entre l'éclair et le bruit du tonnerre. Par exemple, si nous entendons le tonnerre **3** secondes après avoir vu l'éclair, cela signifie que la foudre est tombée à une distance de **340 mètres x 3**, c'est-à-dire **1 020** mètres, soit un peu plus d'un kilomètre !

LA SÉRÉNADE DU BON RÉVEIL

Veux-tu paraître à la fenêtre,
Toi, parfumée comme du murooool,
Veux-tu paraître à la fenêtre
À la fenêtre de l'écooooooooole ?
Sans toi, ma vie n'a rien de folichon,
Comme un repas sans reblochoooon...
Envoie un bisou à ton bichoooon...

Par le pelage pelé du chat-garou ! C'était Bellâtre Septmerveilles, le rat d'égout mariné, en poil et en moustache ! Il était accompagné par deux rongeurs à la mine familière... J'aurais parié ma queue que c'étaient les quatrième et cinquième frères Rondouillard !

En effet, c'étaient Casimir, propriétaire de L'Antique Cancoillotterie, le restaurant du port, et Léopold, le pêcheur.
Je sortis de ma chambre : je pourrais mieux observer cet insolite trio des fenêtres du couloir.
Le Recteur avait eu la même idée.
– C'est *La sérénade du bon réveil*, expliqua-t-il. C'est une tradition, dans l'île, de chanter et d'offrir des cadeaux à sa bien-aimée. Je me demande à qui s'adresse cette sérénade…
Cependant, Nicky et Paulina nous avaient rejoints, bientôt suivies de Violet, de Paméla et de Colette.

Paméla ricana :

– *Hé, hé, hé !* J'ai l'impression que le parfum Soupir de Sourip a encore frappé ! Bellâtre en pince pour Colette !

Colette rougit.

Le recteur me regarda d'un air interrogateur en haussant un sourcil :

– Mais de quoi parlent-elles ?

J'eus un vague sourire :

– Ce sont des choses de filles...

Pendant ce temps, Bellâtre insistait :

Montre-toi, cœur de reblochoooooon...
Si tu préfères, viens sur le balcoooooon...
Ton sourire est doux comme du coulommieeeeers...
Montre-toi, parle-moi, je suis à tes pieeeeeds !

Sur ces entrefaites, **Rondouillette** et son frère **Isidore** arrivèrent à leur tour.

– On pourrait l'arroser ! proposa Rondouillette.

Isidore la regarda de travers :

LE SAVAIS-TU ?

La **sérénade romantique** amoureuse est née au Moyen Âge. À cette époque, on prit l'habitude de chanter pour la personne aimée des chansons simples et délicates.

– Je l'aurais déjà fait, *chère sœur*, si quelqu'un n'avait pas *caché* mon tuyau d'arrosage !

Elle répliqua :

– Ne me regarde pas ! Moi, je n'ai rien caché du tout ! **DU TOUT DU TOUT DU TOUT !** Alors que toi, je suis sûre que tu sais où sont passées *mes* six marmites !

Isidore haussa les épaules et poursuivit :

– Et toi, qu'est-ce que tu peux me dire sur *mon* râteau ?

Tandis que le frère et la sœur se chamaillaient, Nicky claqua des doigts : **SNAP!**

– Ça vous dirait de faire un **PETIT FOOTING** ?

Quelle bonne idée ! Vraiment, c'est une idée au poil !

Allez à la fin du livre, à la page des notes, et écrivez ces trois indices : le tuyau d'arrosage, les six marmites et le râteau.
Cela vous servira pour résoudre le mystère !

Nous étions toutes d'accord (sauf Violet, qui avait encore besoin de dormir).
En retournant à ma chambre pour aller passer mon survêtement, je m'arrêtai devant celle de Hans… Il ronflait encore, malgré toute cette confusion chatesque…
Mon instinct me disait qu'il y avait quelque chose qui ne tournait pas rond…
Je décidai de frapper à sa porte.
Une, deux, trois fois…
Bon, normalement, je n'entre pas dans une chambre tant que je n'ai pas entendu quelqu'un dire *« Entrez »*, mais, dans ce cas…

j'avais un pressentiment…

OÙ EST PASSÉ HANS RATELLO ?

Hans Ratello avait disparu ! Et le ronf-ronf que j'avais entendu derrière la porte n'était qu'un enregistrement ! *Qu'est-ce qui pouvait bien lui être arrivé ?*

Je courus apprendre la nouvelle au recteur.

– Comment ça, DISPARU ?! s'exclama le recteur en se laissant tomber dans son fauteuil derrière son bureau.

J'essayai de lui expliquer :

– Dans sa chambre, j'ai trouvé ça…

Je lui montrai un magnétophone.

– La cassette est un enregistrement du **BRUIT** de quelqu'un qui dort.

Je l'allumai. On entendit aussitôt un ronf-ronf.

Je poursuivis :

RONNNFF !!!

– Quelqu'un a installé ce magnétophone dans la chambre de Hans pour faire croire qu'il y était et qu'il dormait. Mais, en réalité, il a *disparu* !
– Les étudiantes le savent ? demanda le recteur.
– Je leur ai demandé d'attendre dehors. Je voulais que tu sois le premier informé.
– Merci, murmura le Recteur.
Il était vraiment très inquiet.
– Et toi, TÉA, qu'en penses-tu ? demanda-t-il.
– Je n'en sais rien…

C'est alors qu'Isidore Rondouillard entra dans le bureau. Il avait l'air SOMBRE.
– La porte des souterrains était entrouverte. Et, dans l'escalier, j'ai trouvé un livre de Hans Ratello.
Isidore montra le livre.
Je regardai le recteur.
– Je crois que nous devrions descendre dans les souterrains pour aller à la recherche de Hans !

DES HISTOIRES ANCIENNES ET MYSTÉRIEUSES

– **NOUS ALLONS VRAIMENT DESCENDRE DANS LES SOUTERRAINS ?!**

Les filles étaient tout excitées. Cela n'avait pas été simple, mais j'avais fini par convaincre le recteur de leur accorder la permission.

– Je vous en prie, ne me faites pas *regretter*, leur recommandai-je. Je lui ai dit que vous étiez des filles très dégourdies et que vous pourriez nous aider à résoudre le mystère !

– *Par mille engrenages désengrenagisés !* s'exclama Paméla. Tu peux compter sur nous !

Seule *Colette* paraissait inquiète. **Nicky** se moqua d'elle :

– Qu'est-ce qui t'arrive ? Tu as peur de **déranger ta coiffure ?**

Colette lui répondit en tirant la langue.

– C'est que je n'ai rien à me mettre pour l'occasion. Je n'avais pas prévu une expédition sous terre !
Paméla la dévisagea un instant et lui fit un clin d'œil :
– Allez, tu es parfaite comme ça !
L'arrivée du recteur et d'Isidore qui brandissait une torche ÉLECTRIQUE mit fin à ce dialogue.
Lentement, en file indienne, nous commençâmes notre descente dans un boyau sombre et humide.
– Tout ce que j'espère, c'est qu'il n'y ait pas d'araignées ! dit Paméla en frissonnant.
– Chut! marmonna Isidore. Au lieu de bavarder, vous feriez mieux de faire attention où vous mettez les pieds ! C'est *très* DANGEREUX !

Cependant le *Recteur* nous montra les peintures qui couvraient les parois de l'escalier.

– Ces fresques racontent la légende selon laquelle *Raxford* fut construit par les VIKINGS. Ils débarquèrent sur cette île, qu'ils baptisèrent l'*île des Baleines*, aux environs de l'an mille. Ils construisirent un village autour de la plus grande source d'**eau** existant sur l'île... Aussi les habitants de l'île sont-ils de lointains descendants de ces Vikings !

LES VIKINGS

Le nom **Viking** vient du mot *wiking* (« guerrier »). C'est par ce nom que les anciens Normands désignaient les chefs de leurs expéditions maritimes. Du Nord de l'Europe, où ils habitaient, les Normands débarquèrent en France, en Angleterre et en Italie du Sud. Les Vikings étaient de grands navigateurs. D'après certains historiens, leurs *drakkar,* ou « dragons » (tel était le nom de leurs bateaux), sont arrivés en Amérique bien avant **Christophe Colomb** !

Cependant, nous étions arrivés au bas de l'escalier.

Isidore leva la torche électrique pour éclairer une majestueuse et ancienne entrée décorée d'ÉTOILES et de DRAGONS AILÉS.

En haut du mur, les filles déchiffrèrent la vieille devise du collège de Raxford :

LA CHAMBRE DU DRAGON

Le Recteur ouvrit la porte.

Nous entrâmes en silence. Quand nous fûmes habitués à la pénombre, nous découvrîmes une grande salle rectangulaire avec un plafond voûté.

À gauche se dressait une fontaine de pierre surmontée de cinq dragons sculptés. À droite, la statue d'un grand dragon ailé recroquevillé sur lui-même, les mâchoires serrées en une grimace menaçante.

– Bienvenue dans la Chambre du Dragon ! déclara solennellement le recteur.

Isidore ALLUMA des torches, glissées dans des anneaux de fer sur les murs.

À mesure que la lumière **augmentait**, nous remarquions de nouveaux détails. Le bassin de la fontaine était plein, l'eau coulant d'un robinet de **FER** autour duquel était noué un **TUYAU** de caoutchouc vert.

– C'est *mon* tuyau ! s'exclama Isidore.

Sur le mur, derrière la fontaine, nous vîmes une mystérieuse inscription, composée d'étranges **SIGNES**.

Les mêmes signes étaient gravés çà et là sur les dalles. À y regarder de près, on aurait dit des lettres !

PAULINA sortit son appareil photo numérique.

– Je vais photographier les gravures derrière la fontaine. Ça pourrait nous être utile !

Paméla s'exclama, surprise :

– **ET ÇA ?!** en désignant six **marmites** renversées devant la statue du dragon.

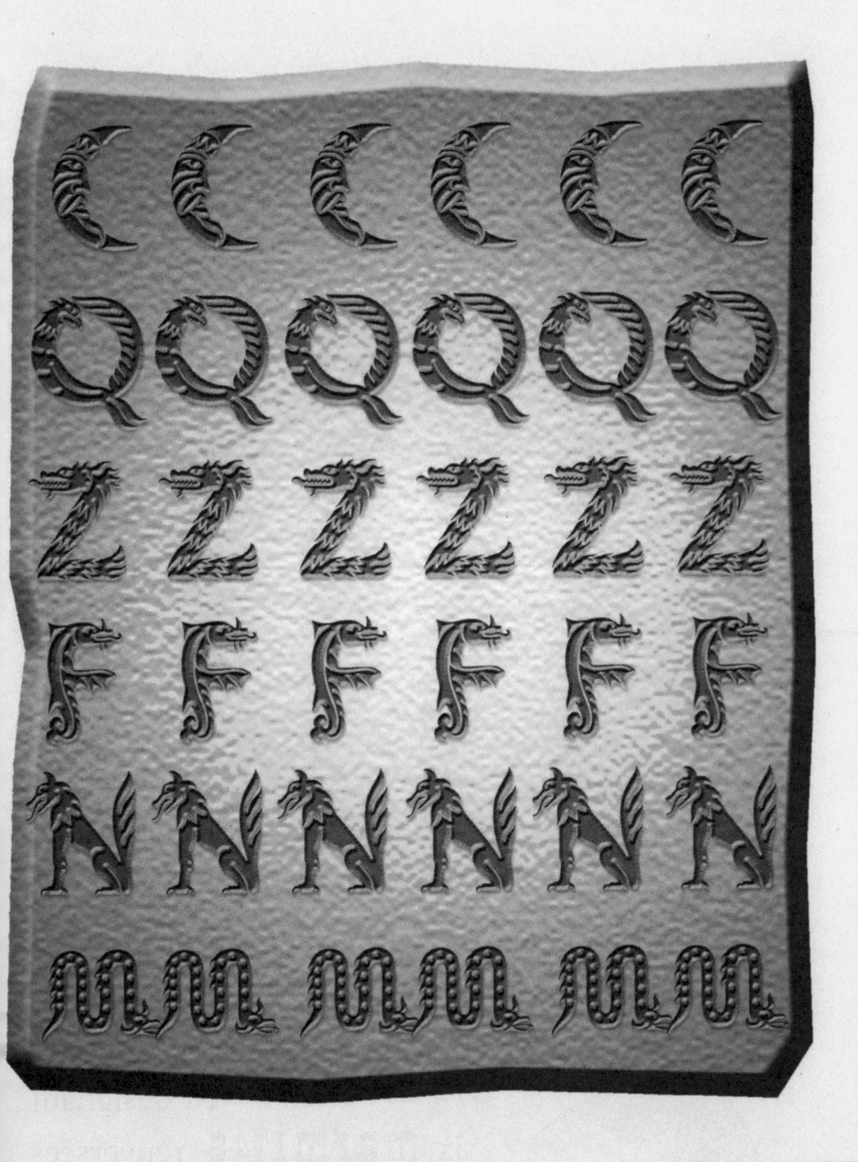

EXTE GRAVÉ DERRIÈRE LA FONTAINE

– Ce sont les marmites de ma sœur ! s'exclama Isidore.

Cependant Paméla et Colette **exploraient** la salle. Colette sortit un petit carnet (rose) et commença à prendre des notes.

INDICE !

– Intéressant… Le sol est constitué de **dalles** portant des **lettres** semblables à celles de la gravure… Mais, ici, il y a encore plus de lettres !

De son côté, Paulina avait découvert autre chose :

– Regardez ! Il y a des **morceaux** de bois par terre !

La queue d'Isidore tremblà pendant un moment.

– C'est le manche de *mon* râteau… Quelqu'un l'a cassé !

Il **regarda** autour de lui, perplexe.

– Mais où sont passés les autres morceaux du râteau ???

Le recteur intervint, **sévère** :

Dans la Chambre du Dragon, nous avons retrouvé le tuyau, les six marmites et le râteau cassé. Notez bien que les lettres sur les dalles sont SEMBLABLES à celles de l'inscription !

– Et, surtout, où est passé Hans Ratello ?

PAULINA s'était de nouveau approchée du mur derrière la fontaine et observait l'inscription mystérieuse.

– Hum ! À mon avis, la clef du mystère se trouve dans cette inscription…

Nous nous tournâmes tous vers elle.

Paulina ajouta :

– D'après moi, cette inscription mystérieuse est un CODE SECRET !

Tout le monde murmura :

– Un code secret ? Mais qu'est-ce que ça peut bien vouloir dire ?

Nous remontâmes aux étages SUPÉRIEURS du collège en réfléchissant.

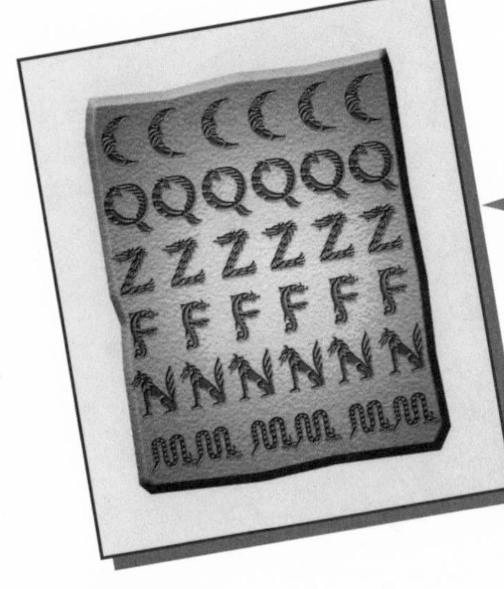

PHOTOGRAPHIE PRISE PAR VIOLET ET REPRÉSENTANT LA MYSTÉRIEUSE INSCRIPTION DE LA CHAMBRE DU DRAGON.

DERRIÈRE CHAQUE LÉGENDE, IL Y A UN PEU DE VÉRITÉ

Il s'était remis à pleuvoir sur l'île. Heureusement, parce que *Bellâtre Septmerveilles* était encore là à chanter, et seule l'averse décida ses deux accompagnateurs à l'emmener de force.

Montre-toi, mon petit livaroooot...
Avant que j'attrape un rhume de cerveauuuuu...

Paméla se boucha les oreilles :

– Bellâtre chante plus mal qu'un CHAT qui a une arête coincée dans le gosier !

Isidore prévint Rondouillette de la découverte de ses six marmites, mais elle marmonna :

PRIMO parce que quelqu'un les avait prises sans sa permission !

DEUZIO parce qu'elles étaient *cabossées cabossées cabossées* !

TERTIO parce qu'elle ne pourrait pas les récupérer tout de suite : une enquête était en cours !

MYSTÈRES

La Terre est une planète pleine de mystères. L'un des plus fameux est l'existence de l'**Atlantide**, le « *continent perdu* ». Le premier à en parler fut le Grec Platon, en 421 avant J.-C. Depuis, nombreux sont ceux qui ont essayé de retrouver les vestiges de ce continent, mais, aujourd'hui encore, on ne sait pas si l'Atlantide a vraiment existé ou si ce n'est qu'une légende !

Nous, c'est-à-dire les cinq filles et moi, nous réunîmes dans la chambre de Nicky et PAULINA pour faire le point.

Paulina n'avait pas de doute :

– Souvent, derrière une légende, il y a une histoire vraie...

Colette était très pensive.

– Je crois que nous aurions intérêt à jeter un coup d'œil dans la chambre de Hans Ratello.

Paméla proposa :

– Nicky et moi allons demander au port si quelqu'un a vu Hans Ratello. Après tout, rien ne prouve que Hans est encore au collège.

Colette se proposa :

– Je vais inspecter sa chambre !

Violet **bâilla**, les yeux brillants de sommeil :

– Je vous en supplie, laissez-moi faire un petit somme !

Colette lui fit la révérence :

– Mais bien sûr ! Va donc, princesse !

Pendant que Violet s'en allait, Paulina alluma son ORDINATEUR portable :

– J'essaie de déchiffrer la mystérieuse inscription que nous avons trouvée dans la Chambre du Dragon.

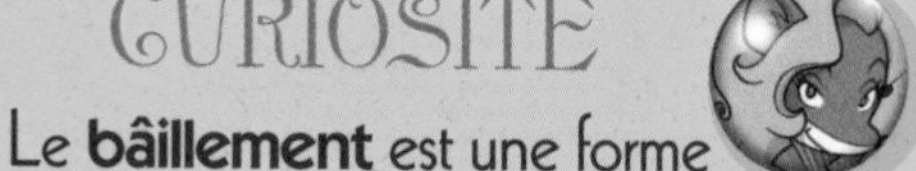

CURIOSITÉ

Le **bâillement** est une forme de respiration qu'on ne peut contrôler. Il peut être provoqué par le sommeil, par la faim ou par l'ennui. Le plus drôle, c'est que le bâillement est contagieux. Même si tu fais semblant de bâiller, ceux qui t'entourent auront eux aussi, tôt ou tard, envie de t'imiter. Essaie donc !

Je m'assis au bureau et annonçai :

– Je suis fière de vous, les filles ! C'est votre **première enquête** ! Souvenez-nous : ne vous fiez pas aux *apparences*. Contrôlez le moindre *détail* mais ne perdez jamais de vue l'*ensemble*. Et, surtout, **ayez le courage de changer d'idée** : si une idée ne vous conduit nulle part, c'est peut-être qu'il faut *changer de direction* ! Si vous avez besoin, je vous aiderai… Mais je sais que vous pouvez vous en sortir toutes seules !

CHAPERLIPOPETTE ET SAPRISOURISTI !

J'allai trouver mon ami le recteur. Il avait consulté la météo : hélas, la **TEMPÊTE** s'éloignait et bientôt (*trop* tôt !), l'*île des Baleines* serait de nouveau reliée au monde.

– Demain, au plus tard, la situation redeviendra normale !

Nous avions donc un **JOUR** au maximum pour résoudre le mystère de la disparition de Hans Ratello, après quoi le collège se remplirait d'**étudiants** et tout deviendrait plus compliqué !

Il faudrait donner trop d'explications, et il y aurait trop de garçons et de filles partout.

Des indices importants risqueraient alors de disparaître…

Le *Recteur* soupira :

– J'ai téléphoné chez Hans Ratello, mais personne ne répond.

En observant les portraits accrochés au mur, je fus de nouveau prise d'un doute… *Pourquoi avais-je l'impression d'avoir déjà vu Hans Ratello quelque part ?*

Pourquoi ??

Pourquoi ?

Pourquoi ???

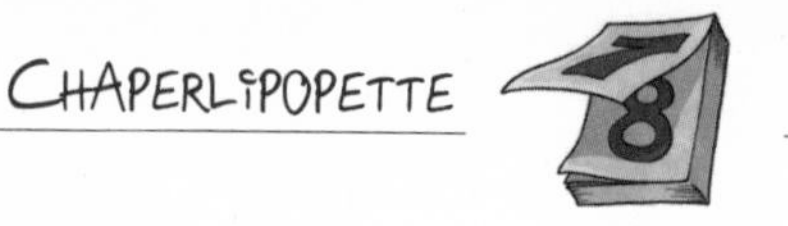

Pendant ce temps, le recteur contemplait en silence le panorama qui s'étalait sous les fenêtres de son bureau. Il m'attendrissait presque !

Quand nous grandissons, nous nous rendons compte que même les rongeurs qui, pour nous, étaient GRANDS et FORTS peuvent avoir besoin d'aide ! Et que nous, oui, nous, qui, jusqu'à hier, étions petits, nous pouvons leur apporter cette aide !

Je m'approchai.

– Recteur, allons faire une petite promenade. Tu te souviens ? C'est toi qui m'as appris cela. *Chaperlipopette et saprisouristi, si vos idées sont confuses et que vous ne savez pas quoi faire, allez vous promener ! Ça vous éclaircira les idées !*

Il éclata de rire :

– Oh, Téa ! Tu es vraiment spéciale ! Tu arrives à m'arracher un sourire dans cette situation !

Bip ! Bip ! Bip !

Pendant ce temps, les filles poursuivaient leur enquête. Colette avait trouvé des documents intéressants dans la chambre de Hans Ratello.

– Regardez tous ces livres consacrés aux *anciens codes mystérieux !*

Violet se mit aussitôt à les examiner. La nuit lui avait fait du bien, elle était de nouveau pleine d'ÉNERGIE.

Nicky et Paméla arrivèrent à leur tour, mais elles n'avaient pas de nouvelles. Au port, personne n'avait rien remarqué d'anormal.

Paulina leva les yeux de l'écran de son ordinateur :
– Je travaille sur la mystérieuse inscription de la Chambre du Dragon. Mais je n'ai pas encore réussi à la déchiffrer.
Violet s'exclama :
– J'ai trouvé quelque chose !

Toutes les filles se tournèrent vers elle. Violet brandit des papiers qu'elle venait de découvrir entre les pages d'un livre de Hans Ratello. Il n'y avait qu'une seule phrase, répétée un nombre infini de fois : *« Un de plus, pas un de moins ! »* Nicky était perplexe :
– Eh ben, qu'y a-t-il de bizarre ? C'est la devise du collège de Raxford !

UN DE PLUS, PAS UN DE MOINS !

Violet secoua la tête :

– Ce n'est pas seulement la devise de Raxford. Souvenez-vous : cette phrase est gravée à l'entrée de la *Chambre du Dragon*... C'est donc une devise *très ancienne*, antérieure à la fondation du collège !!!

Pendant que Violet parlait, Paulina pianotait sur le clavier de son ordinateur qui fit :

Bip ! Bip ! Bip !

Paulina hurla :

– Hourra !

D COMME... DRAGON !

Sur l'écran s'était inscrit un mot mystérieux...
DRAGON !
Paulina expliqua comment elle avait pu déchiffrer l'inscription :

3. AINSI, LE C EST DEVENU D, LE Q EST DEVENU R, ET AINSI DE SUITE... JUSQU'À CE QUE JE LISE DRAGON !

C +1= D
Q +1= R
Z +1= A
F +1= G
N +1= O
M +1= N

Violet sourit :

– C'est juste : *Un de plus, pas un de moins !*

Paméla embrassa Paulina.

– Waouh ! Tope là, sœur ! Nous sommes en *pole position* !

Seule Colette resta silencieuse, les bras croisés, puis indiqua la table couverte de livres, de photos et de notes...

– Excusez-moi de refroidir votre enthousiasme... mais, d'après moi, il est encore trop tôt pour se réjouir... Il nous reste MILLE MYSTÈRES à résoudre !

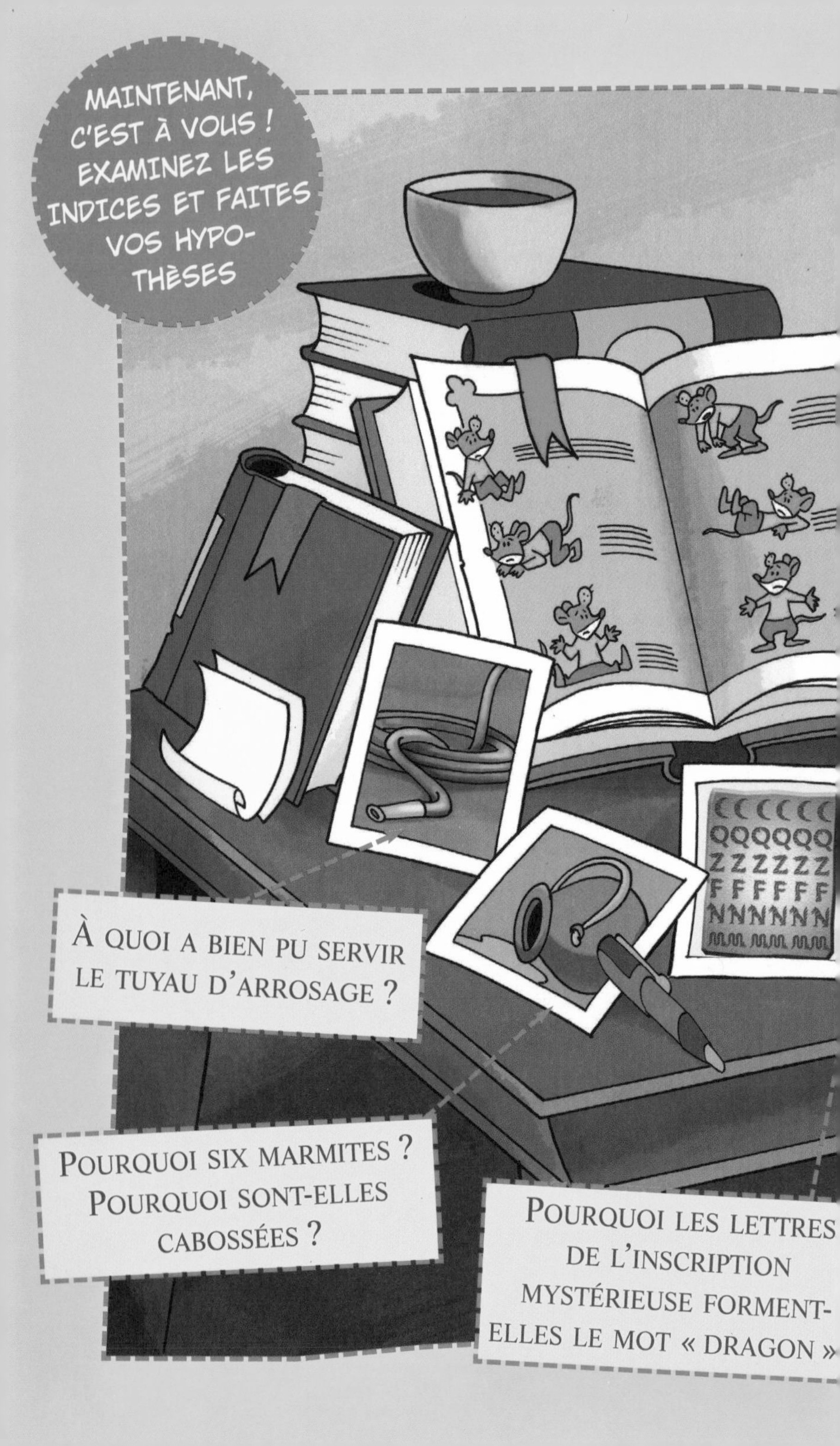
MAINTENANT, C'EST À VOUS ! EXAMINEZ LES INDICES ET FAITES VOS HYPOTHÈSES
CCCCCC
QQQQQQ
ZZZZZZ
FFFFFF
NNNNNN
À QUOI A BIEN PU SERVIR LE TUYAU D'ARROSAGE ?
POURQUOI SIX MARMITES ? POURQUOI SONT-ELLES CABOSSÉES ?
POURQUOI LES LETTRES DE L'INSCRIPTION MYSTÉRIEUSE FORMENT-ELLES LE MOT « DRAGON »

Qu'est devenu Hans Ratello ? Pourquoi recopiait-il la devise de Raxford ?
Un de plus,
Un de plus, pas un de moins
Téa dit : ne pas s'en tenir aux apparences ! Le cas échéant, changez de direction !!!
Que signifient les lettres gravées sur les dalles ?
Où sont passés les autres morceaux du râteau ? Qui l'a cassé ?

Le titre ci-dessus est un message secret ! Le code pour le déchiffrer est **+3**. Tu dois prendre la **troisième lettre** qui, dans l'ordre alphabétique, suit chacune des lettres qui le composent. Essaie de le lire, puis compare avec la réponse de la page 128 !

Colette avait **raison** : il y avait mille questions et aucune **RÉPONSE**. Paulina fut la première à réagir.

– OK, les filles. Nous avons compris que, pour déchiffrer le **code mystérieux**, il fallait ajouter une lettre. Avec ce système, essayons de **déchiffrer** les lettres gravées sur les dalles.

ELLES ESSAYÈRENT...

ELLES RÉESSAYÈRENT...

ELLES RE-RÉESSAYÈRENT...

Il n'en sortait que des mots sans aucun sens. Il devait pourtant bien y avoir un lien !

Mais lequel ? Lequel ? Lequel ???

Les heures s'écoulaient. Les filles étaient fatiguées, épuisées, LESSIVÉES !
Nicky ne tenait plus en place.
De la fumée sortait des oreilles de Paméla.
Colette s'était déjà fait trois shampoings pour se rafraîchir les idées.
PAULINA louchait à cause des heures qu'elle avait passées à regarder l'écran de son ordinateur.
Violet ne supportait pas toute cette agitation.
Une petite pensée inattendue se glissa dans sa tête : *elle pensa qu'elles étaient toutes fatiguées et qu'elle était la seule à avoir pu se reposer un peu.*

Elle inspira à fond et parla :

– En CHINE, on dit qu'il y a des moments où il vaut mieux s'arrêter plutôt que de tourner en rond sans arriver nulle part. Je crois que nous sommes ARRIVÉES à ce moment-là...

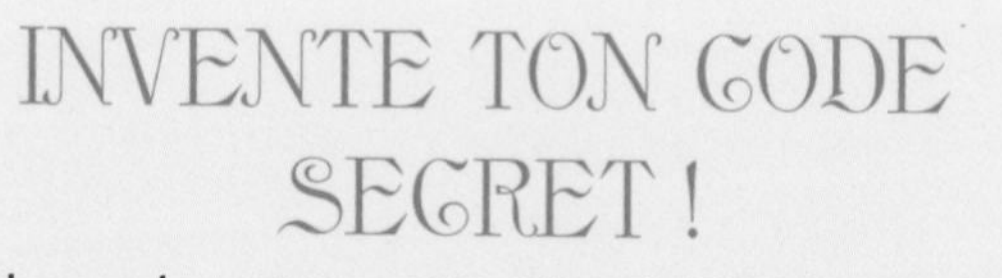

Selon le code **+3**, **« GLRB XSBZ JLF ! »** signifie *« Joue avec moi ! »* En effet, si l'on avance de trois lettres dans l'alphabet, **G** devient **J**, et ainsi de suite... Te voici prêt à inventer TON propre code secret. Par exemple, **+2** ou bien **–1** (évidemment, si le code est « moins un », il faudra reculer d'une lettre dans l'alphabet. Par exemple, si tu écris un **A**, il faudra lire un **Z**). Avec ce système, seul celui qui connaît ton code pourra déchiffrer tes messages !

NAISSANCE D'UNE VÉRITABLE ÉQUIPE

Violet revint bientôt avec une bouilloire fumante et son mystérieux coffret rouge. Elle l'ouvrit, en sortit une théière et de minuscules TASSES de porcelaine.

– Voici le précieux service à thé de ma chère arrière-arrière-grand-mère Fleur de Lotus.

Elle émietta ensuite une poignée de mystérieuses feuilles sèches dans la THÉIÈRE.

– Qu'est-ce que c'est ? demanda Nicky, intriguée.
Violet répondit :
– Du thé vert. C'est la boisson préférée, en Chine. C'est un thé **ÉNERGÉTIQUE** et très aromatique…
Elle n'avait pas besoin de le préciser.

Un délicieux parfum s'était déjà répandu dans la pièce.
Paméla était la plus intéressée, surtout par certains petits gâteaux au fromage de soja et au gingembre confit que Violet avait apportés sur un plateau.
Quelle faim féline !
Les filles les dévorèrent en un clin d'œil.
PAULINA reprit :
– Ces lettres sur les dalles sont un véritable casse-tête… Impossible de comprendre ce qu'elles signifient…
Elle se mit à l'ORDINATEUR pour essayer encore une fois de comprendre quelque chose.

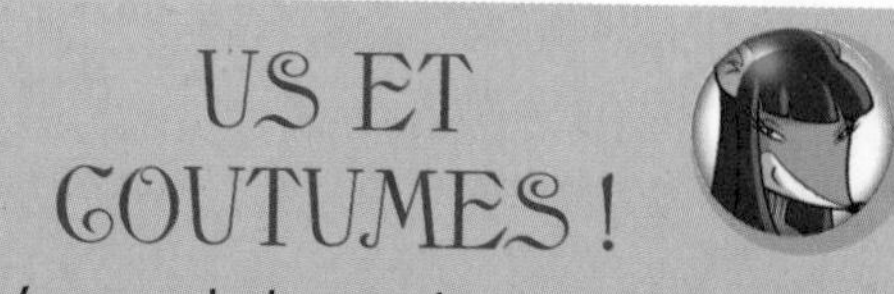

L'usage de boire du **thé vert** est très ancien... En Chine, on raconte que, il y a 5 000 ans, l'empereur *Shen Nung* fut le premier à boire une infusion de cette plante. En Europe, le thé n'est connu que depuis le XVIe siècle. Au début, on s'en servait comme d'un remède contre les maux de tête !

Puis, soudain, elle **s'immobilisa**, songeuse.
– Attendez un peu ! Il y a vingt-six lettres différentes... Cela signifie que nous pourrions nous trouver devant un véritable... ALPHABET ! Mais bien sûr ! Les lettres sur les dalles ne cachent pas un message SECRET ! Elles forment simplement un alphabet complet !
Paulina était tout excitée par cette découverte :
– Téa avait raison : « *Si une* IDÉE *ne conduit nulle part, c'est peut-être qu'il faut changer de direction...* »
Pendant que les filles continuaient de réfléchir, Paméla regarda autour d'elle. Elle avait envie

OPQRSTUVWXYZ

d'une autre tasse de thé, mais il n'y avait pas un centimètre de libre sur la **TABLE !**
Aussi posa-t-elle sa tasse sur un des livres trouvés dans la chambre de Hans Ratello.
Cependant, Violet essayait de comprendre :
– Nous avons découvert que les lettres sur les

dalles correspondent à un ALPHABET.
Mais à quoi servent-elles ?
– À rien, peut-être..., répondit Paméla en VERSANT du thé dans sa tasse.
Le livre, qui était en équilibre sur un autre volume, commença à pencher...

pencher, pencher, pencher, pencher,
pencher, pencher, pencher, pencher,
pencher, pencher, pencher, pencher,
pencher, pencher, pencher, pencher,

Violet vit la très précieuse petite TASSE de son arrière-arrière-grand-mère commencer à glisser sur le livre… Elle tendit l'oreille et se retourna lentement vers Paméla… juste au moment où la petite tasse se renversait !
D'un BOND de kangourou, Nicky rattrapa la tasse au vol, une seconde avant qu'elle ne se fracasse par terre !
C'est alors que Violet s'illumina et cria :
– Par la queue du serpent à plumes !
Ça y est, j'ai compris ! Paméla, tu es géniale !
Paméla se vexa :
– Ce n'est pas juste de te moquer de moi… D'accord, j'ai failli provoquer une catastrophe, avec ta tasse… Mais je ne l'ai pas fait exprès !
– Remercie Nicky, poursuivit Violet. Si tu avais CASSÉ cette tasse, je t'aurais déchiqueté les oreilles ! Mais je ne me moque pas de toi. Au contraire, je n'ai jamais été aussi sérieuse !

Paméla, tu es vraiment géniale, parce que tu as résolu l'énigme !

LE CODE DU DRAGON

Mais que s'était-il donc passé ?
Quand Violet avait vu le livre qui penchait sous le poids de la tasse, mille PETITES LAMPES s'étaient allumées dans sa tête. Tout s'était éclairé pour elle !

– Il y a un mot de six lettres gravé sur le mur derrière la fontaine de la Chambre du Dragon : DRAGON. C'est bien ça ? Et il y a six marmites... Je parie que, si nous plaçons les marmites sur chacune des lettres formant le mot DRAGON et que nous les remplissons d'eau, il se passera quelque chose...

Peut-être un MÉCANISME se déclenchera-t-il !

Les filles me laissèrent un message pour dire qu'elles descendaient à la *Chambre du Dragon*. Quand elles arrivèrent, elles mirent les six marmites sur les lettres du mot DRAGON. Puis elles plongèrent le tuyau d'arrosage dans la fontaine.

Elles remplirent la marmite posée sur la lettre D…

Il ne se passa RIEN.

Elles remplirent celle posée sur la lettre R…

Il ne se passa RIEN.

Elles remplirent celles posées sur les lettres A, puis G, puis O…

Il ne se passa RIEN DE RIEN.

Mais quand elles commencèrent à remplir la dernière marmite, celle de la lettre N, alors, elles retinrent leur respiration.

PAULINA était **très tendue.**

– Et si tout s'effondrait ?

Nicky se moqua un peu d'elle :

– Que racontes-tu ?! Cette salle existe depuis MILLE ANS ! Tu n'imagines quand même pas que c'est nous qui allons la faire écrouler !

Au même moment, le sol commença à VIBRER…

Les cinq filles se serrèrent l'une contre l'autre, comme pour se protéger, tandis que les six **dalles** commençaient à s'enfoncer lentement *dans le sol…*

Bientôt, les marmites avaient presque disparu !

Colette eut à peine le temps de dire :

– **Bah ?**

Puis la bouche du dragon de pierre s'ouvrit d'un coup en grand… CLAC !

Paméla bondit de joie.

– Le passage secret ! hurla-t-elle.

Elle allait se précipiter dans l'ouverture quand Nicky la retint par une patte :

– Arrête !

Paméla ne comprenait pas :

– Tu veux passer la première ?

Nicky la sermonna :

– Tête de mule ! Regarde d'abord ce qu'il y a dedans !

Toutes se penchèrent pour regarder.

Dans la bouche du DRAGON, il y avait le râteau d'Isidore Rondouillard, cassé en deux

Nicky observa la gueule du dragon :
– Ça me rappelle les crocodiles d'Australie...
Nicky retira son chapeau et poursuivit :
– Chez moi, en Australie, j'ai appris qu'il faut être *très prudent* avec les crocodiles.
Elle visa et lança son **CHAPEAU** droit dans la gueule du dragon de pierre.
Alors, tout alla très vite : à peine le chapeau était-il à l'intérieur que les mâchoires du dragon se refermaient d'un coup sec : **CLAC !**

LE SAVAIS-TU ?

Les **réflexes automatiques** sont des gestes qui se déclenchent dans des moments particuliers, malgré nous. Par exemple, si un moucheron nous effleure les cils, nos yeux se ferment automatiquement. Les animaux eux aussi ont de tels réflexes ! Ainsi, les crocodiles ferment la bouche dès qu'ils sentent quelque chose sur leur langue !

Au même instant, les six dalles qui s'étaient ENFONCÉES dans le sol remontèrent d'un coup, PROJETANT les marmites jusqu'au plafond.
Les filles s'écrièrent en chœur :
– Tous aux abris !!!
Les marmites rebondirent sur le sol. Les éclaboussures d'eau éteignirent les flambeaux. La salle fut plongée dans une OBSCURITÉ totale.

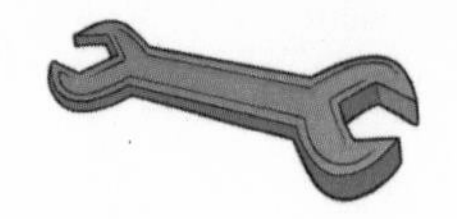

IL Y A PEUT-ÊTRE D'AUTRES PIÈGES...

Nicky alluma sa torche ÉLECTRIQUE...
Elle regarda autour d'elle et éclaira la pièce.

– Où êtes-vous ?

L'une après l'autre, Paméla, Violet, Colette et Paulina ÉMERGÈRENT du noir. Heureusement, toutes étaient indemnes. Elles étaient simplement **mouillées** du bout des oreilles au bout de la queue.

Paméla proposa :

– Faisons rouvrir la gueule du dragon !

Les cinq filles replacèrent les marmites sur les lettres du mot DRAGON, les remplirent

d'**eau** et, de nouveau, le dragon ouvrit la gueule.
Paméla conclut :
– Quelqu'un avait essayé de **BLOQUER** les mâchoires du dragon avec le râteau d'Isidore... Mais ça n'a pas marché et le râteau s'est cassé !
Elle chercha quelque chose dans son sac :
– Nous pouvons faire mieux ! dit-elle en montrant une énorme CLEF anglaise. Voilà quelque chose qui ne se cassera pas comme un râteau !
Les autres étaient stupéfaites.
– Mais, Paméla... tu te promènes toujours avec des trucs pareils dans ton sac ?

RECORD

À propos de marmites... Une des plus grandes marmites du monde se trouve en Italie, à Oneglia (dans la région de Ligurie). C'est une marmite de **3 mètres de diamètre**, qui sert pendant la fête de la Saint-Jean. Les gens lui ont même donné un nom : *Giuvanina*.

– Bien sûr ! J'en ai toute une collection ! On ne sait jamais, il peut y avoir un **MOTEUR** à réparer !

La clef anglaise, coincée entre les dents du **DRAGON**, était parfaite pour bloquer le

mécanisme. Mais, en entrant, Nicky murmura :

– Il y a peut-être d'*autres* pièges…

AAAAAHHHHHH... SPLASH !!!

Les cinq filles pénétrèrent précautionneusement dans la gueule du dragon de **pierre.**
À l'intérieur, elles découvrirent un escalier qui s'enfonçait dans le sol... Elles commencèrent à descendre, marche après marche.
Colette était en train de remettre du rouge à lèvres (rose) quand Nicky posa le pied sur la **troisième marche**, qui fit... **CLIC !**
Toutes les autres marches pivotèrent vers le bas, transformant l'escalier en **toboggan !**
Colette essaya de se rattraper à quelque chose, mais ne parvint qu'à laisser avec son bâton de rouge à lèvres une longue traînée rose sur la paroi.
Les filles TOMBÈÈÈÈÈÈÈÈÈÈÈÈÈÈÈÈÈÈÈÈRENT !

TOMBÈRENT !
TOMBÈRENT !
TOMBÈRENT !
TOMBÈRENT !
TOMBÈRENT !
TOMBÈRENT !

Et puis…

SPLASH !!!

Elles plongèrent dans un sombre cours d'eau souterrain : les **égouts** de Raxford !

Pendant que l'eau les entraînait lentement, Nicky cria :

– Vous êtes toutes là ?

Colette sanglota :

– Il est arrivé une **TRAGÉDIE** effroyable…

– Que s'est-il passé ?!

Colette sanglota plus fort :

– Je me suis cassé un ongle !

– Arrête un peu ! dit Paméla en éclatant de rire et en lui éclaboussant le visage.

Colette se fâcha :

– Vous n'avez pas idée du temps qu'il faut pour qu'un ongle pousse comme il faut !

Le courant qui les emportait était de plus en plus VIOLENT.

Cependant, Violet cherchait désespérément quelque chose dans sa poche :

– Frilly… Où est passé Frilly ?

La maison-citrouille de Frilly flottait dangereusement sur l'eau.

Le grillon allait se noyer !

Colette était la plus proche et cria :

– Je m'en occupe !

En deux brasses, elle atteignit la citrouille, mais ne parvint pas à revenir en arrière.

– Le *courant* m'emporte !

PAULINA l'attrapa par la patte :

– Accroche-toi à moi !

Nicky était à côté de Paulina.

– Tiens-toi à moi !

Paméla attrapa Nicky.
Rapide comme un rat, Violet sortit de l'eau et, s'arc-boutant au bord de l'égout, aida Paméla à tenir les autres.
– Frilly ! Viens ! s'écria-t-elle.
Le grillon sortit de sa maison-citrouille. Sauta sur le bras de Colette, puis sur la tête de Paulina, passa sur les cheveux de Nicky avant d'atterrir sur le museau de Paméla qui le fixa, **TERRORISÉE**.

Paméla ferma les yeux et Frilly fit un dernier bond jusque dans les pattes de Violet.

Enfin, il était sauvé !

Une à une, les filles sortirent de l'égout et montèrent sur le rebord de pierre.

Violet les embrassa toutes, chacune à son tour, et réserva le plus gros baiser à Paméla.

– Merci..., murmura-t-elle.

Soudain, on entendit un hurlement...

Au secouuuuuuuuuurs !!

CE GARS, ENFIN CE RAT, JE LE CONNAIS !

Qui cela pouvait-il bien être ? Les filles voulurent tirer cela au clair.

Elles firent quelques pas et se retrouvèrent dans une vaste CAVERNE.

Elle était éclairée par les rayons du soleil qui filtraient à travers des fissures du plafond.

Au bord des égouts qui traversaient la caverne, nous découvrîmes les restes d'un ancien bateau VIKING. Il y avait aussi une drôle de machine, faite de cordes, de roues et d'ENGRENAGES. Et il y avait aussi quelqu'un qui était pendu la tête en bas... Les filles le regardèrent, les yeux écarquillés.

Qui était-ce ?

Violet marmonna :

– Hum, il ressemble à Hans Ratello ! Mais ce n'est *pas* Hans Ratello !

Le gars, *enfin le rat*, s'écria :

– Je vous en supplie, aidez-moi !

Les cinq filles s'approchèrent précautionneusement.

Colette ne put retenir un cri d'HORREUR.

– Regardez ! Là, par terre, les cheveux de Hans ! Ce monstre les lui a tous arrachés !!!

Paulina la regarda d'un air amusé :

– Mais que racontes-tu ? Tu ne vois donc pas que c'est une PERRUQUE ?

Cependant, le gars, enfin le *rat*, criait :

– Alors, vous me faites descendre, oui ou non ?!

C'est à ce moment précis que j'arrivai, moi, TÉA STILTON, accompagnée du recteur !

Je m'approchai de Colette et murmurai :

– Merci de m'avoir indiqué que la troisième marche de l'escalier était piégée…

Colette me regarda :

– Qui, moi ?!

Je lui souris :

– J'ai trouvé la trace rose que tu as laissée avec ton rouge à lèvres !

Colette rougit en murmurant :
– Euh, je… ben, je ne l'ai pas laissée exprès, j'avais glissé sur la marche…

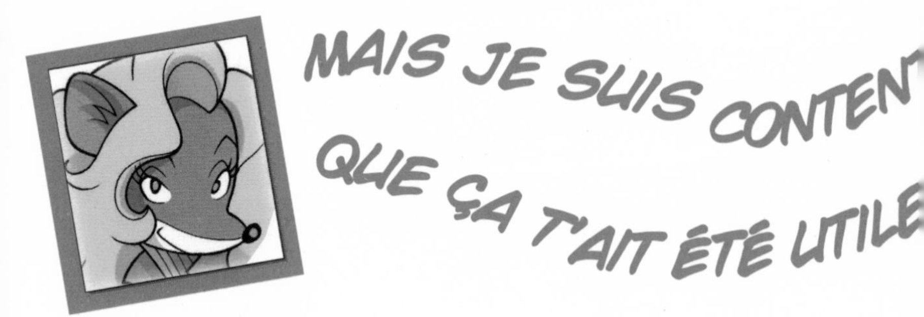

?

MAIS QUI EST CE TYPE PENDU LA TÊTE EN BAS ?

Puis Nicky me demanda :

– À ton avis, Téa, qui est le type pendu la tête en bas ?

Je répondis :

– C'est… Bartholomé Delétincelle ! Vous vous souvenez ? Sa PHOTO est accrochée dans le bureau du recteur ! C'est un professeur de journalisme ! Mais il s'était déguisé avec une PERRUQUE touffue et d'épaisses LUNETTES pour devenir Hans Ratello !

Violet s'écria :

– C'est vrai, je me souviens de son portrait !

Hans Ratello, c'est-à-dire *Bartholomé Delétincelle*, nous salua :
– Eh, salut ! Vous parliez de moi ?

Nous éclatâmes tous de rire.

La situation ne manquait pas de comique ! Je m'avançai en souriant :
– Alors, Monsieur Delétincelle, vous avez pas mal d'explications à nous donner, je crois... J'aimerais que vous commenciez par satisfaire ma curiosité : c'était bien vous qui m'épiiez du collège de RAXFORD quand j'ai débarqué ?
Il écarta les bras.
– Mademoiselle Stilton, ÉPIER est un bien grand mot ! Disons que j'étais curieux de vous voir.

Quand j'étais étudiant, le recteur ne parlait que de vous... Il vous **citait** toujours en exemple !
J'étais très *flattée*.
Cependant, nous **libérâmes** Bartholomé Delétincelle du piège.

UNE DÉCISION DIFFICILE...

Bartholomé raconta son histoire :

– À la bibliothèque, je suis tombé sur le livre *Traquenards et souricières*, qui parlait des souterrains du collège de Raxford. C'est pourquoi j'ai décidé de les **EXPLORER...** Depuis toujours, les passages secrets des vieux édifices sont ma passion !

Bartholomé rappela comment il avait découvert les passages secrets :

– Une fois dans la Chambre des Dragons, j'ai rempli les marmites (je les avais prises dans la cuisine de Rondouillette). Puis j'ai utilisé le râteau pour **BLOQUER** la gueule du dragon de **pierre**, mais le manche s'est cassé !

Résumons-nous... Voici tous nos indices !

En se refermant, les dents du dragon ont coupé le tuyau avec lequel je m'étais attaché. J'ai été ENTRAÎNÉ par le courant des égouts, puis je me suis retrouvé pris dans un piège viking, actionné par le MÉCANISME que vous avez vu. La machine s'est mise en marche et je me suis retrouvé la tête en bas ! Comme un NIGAUD ! J'avais l'air malin !

Je demandai :

– Il y a encore quelque chose que je ne comprends pas, Monsieur Delétincelle. Pourquoi vous êtes-vous déguisé en étudiant, pourquoi vous êtes-vous fait passer pour Hans Ratello ?

Il expliqua :

– Euh, je me suis déguisé en étudiant... et j'ai voulu faire croire à un ENLÈVEMENT... pour brouiller les pistes et pouvoir explorer tranquillement les souterrains ! En effet, il est interdit de descendre ici. Maintenant, j'en comprends la raison : c'est DANGEREUX !

Il y a des pièges partout, comme la tête du DRAGON ou celui dans lequel je me suis retrouvé pris. Heureusement que vous êtes arrivées pour me sauver, sinon…

Nous remontâmes tous dans les étages SUPÉRIEURS du collège.

Le Recteur me demanda de venir dans son bureau :

– Téa, il faut que je te parle… Euh, à ton avis, les filles méritent-elles une punition ?

Je RÉFLÉCHIS :

– Elles sont descendues dans les souterrains sans demander la permission. Et, en cela, elles ont eu TORT. Mais… il faut reconnaître qu'elles ont sauvé Bartholomé Delétincelle !

Le Recteur acquiesça.

J'allai trouver les filles : elles avaient les moustaches qui tremblaient d'inquiétude.

– C'est vrai qu'on peut nous renvoyer ? demanda PAULINA.

– C'est ma faute ! dit Nicky.
Paméla n'était pas d'accord :
– Freine un peu, sœur ! C'est moi qui ai insisté pour descendre !
Colette soupira :
– Ce n'est pas vrai, nous étions toutes d'accord.
Violet conclut :
– Nous sommes *toutes* responsables !
C'est alors qu'Isidore nous annonça que nous étions attendues dans l'*amphithéâtre*, c'est-à-dire la salle des cérémonies.
Les filles s'embrassèrent.
Quel allait être leur **destin ???**
Dans l'amphithéâtre, nous découvrîmes que le recteur n'était pas seul à nous attendre. Il y avait les dizaines et les dizaines de **REGARDS CURIEUX** des professeurs et des étudiants !
Pendant un instant, on n'entendit pas voler une mouche...
Puis un chaleureux applaudissement éclata !

Quelle surprise assourissante !

Le recteur avait raconté leur **aventure** à tout le monde, mais il avait aussi décidé de les punir… à sa façon !

– Vous allez rédiger le récit **très détaillé** de cette affaire, en distinguant bien ce qu'il est **BON** et ce qu'il est **INCORRECT** de faire. Comme ça, votre *expérience* servira à tout le monde !

J'étais heureuse : il allait en sortir un très beau livre. Vous voulez savoir le titre ?

LE CODE DU DRAGON !

COLLÈGE
DE
RAXFORD

MIEUX QUE DES AMIES : DES SŒURS !

Il restait quelques détails à régler…

– Et mon RÂTEAU, mon cher Monsieur Bartholomé ? demanda Isidore Rondouillard.

– Et mes six **marmites** ? Elles sont toutes *cabossées cabossées cabossées,* mes chères jeunes filles, dit Rondouillette Rondouillard.

– Et mon reçu, hein ? Dites-moi, chère Mademoiselle Téa, qu'en avez-vous fait, hein ? demanda Porphyre Rondouillard, le facteur.

Les Rondouillard étaient maintenant **TROIS !**

Bartholomé promit d'acheter un nouveau râteau à Isidore.

Les filles promirent de réparer les marmites de Rondouillette.

– *Toutes toutes toutes !* dit Colette avec un clin d'œil.

Je souris à Porphyre :

– J'ai appris que vous étiez venu exprès à Sourisia pour m'apporter l'invitation…

– J'étais bien obligé ! Je n'allais tout de même pas vous l'envoyer ! rétorqua-t-il de sa voix STRIDENTE. Si ça s'était perdu ! On aurait accusé qui, hein ? Dites-le-moi ! Allez, dites-le-moi…

Je fis claquer un bisou sur son museau :

– Merci mille fois !

Il devint rouge comme un piment et me sourit d'un air nigaud.

Incroyable mais vrai : les Rondouillard eux-mêmes pouvaient rester muets !!!

Alors que tout le monde repartait, les cinq amies s'embrassèrent.

Je les regardai, satisfaite.

Chacune était différente des autres, chacune avait ses **qualités**, ses **défauts**, ses **PASSIONS** et ses *rêves*...

Cinq filles vraiment dynamiques, unies par le destin, qui avaient découvert, en se rencontrant, que les différences ne sont pas un problème... mais un **avantage** !

Parce que, lorsque tout le monde est différent, chacun peut apprendre quelque chose de son voisin !

Désormais, ces cinq copines ne voulaient plus se séparer !

– Alors… nous sommes amies ? murmura Violet.

Colette sourit.

PAULINA l'embrassa.

Nicky lui mit son chapeau sur la tête.

– Nous sommes mieux que des amies ! dit Paméla. Nous sommes des sœurs !

Et voilà comment est né l'assourissant groupe des…

NOTES

le tuyau d'arrosage
six marmites
le râteau
le dragon
perruque + lunettes

Salut, les amis !

Vous voulez tout savoir sur mes amies, les Téa Sisters ? Alors installez-vous bien confortablement et lisez les pages qui suivent. Les Téa Sisters ont décidé d'y raconter, avec des lettres, des pensées, des conseils, des confidences... un peu tout ce qui leur passe par la tête ! C'est ainsi qu'est né un journal très spécial. Oui, c'est bien cela, un journal... à dix pattes !
Vous pourrez ainsi mieux connaître les cinq Téa Sisters et découvrir à laquelle vous ressemblez le plus, dans vos goûts et dans votre caractère ! Parce que c'est la connaissance qui est à la base de toutes les amitiés ! Parole de...

Téa Stilton

TÉA SISTERS
JOURNAL
à
10 pattes !

Salut, les filles !

Je vais vous parler de moi.

Tout d'abord, je dois dire que je suis une fille tranquille. J'aime les choses simples, car celles qui sont compliquées font gripper mon cerveau. En général, je suis plutôt gaie, mais, quand j'ai faim, je me retrouve avec les pneus à plat (je suis très gourmande, et j'adore en particulier : la pizza marguerite, la pizza aux quatre fromages, la pizza au piment, la pizza quatre saisons, la pizza à la roquette, la pizza...). Quoi d'autre ? Ah oui ! La musique sirupeuse me chauffe les oreilles ! Si vous voulez faire mon bonheur, donnez-moi une clef anglaise : avec un moteur, je fais des miracles !

Tout est clair ? J'oublie sûrement quelque chose... Je vous le raconterai au prochain épisode !

C'est moi !

Paméla

P.-S. pour Violet : Excuse-moi si je hurle chaque fois que je vois ton grillon, c'est plus fort que moi !!!

Vive les fruits !

Pour préparer une délicieuse macédoine, choisissez des fruits de saison. Ce sont les meilleurs, parce qu'ils ont mûri dans leur milieu naturel, et non pas dans des serres !

- en hiver : pommes, oranges, kiwis, mandarines
- au printemps : fraises, pommes, poires, oranges
- en été : fraises, cerises, pêches, abricots, poires, melons
- en automne : raisins, pommes, poires

Aux fruits de saison, on peut ajouter une banane.

Préparation: avant tout, demandez de l'aide à un adulte !
Lavez, épluchez et coupez les fruits en morceaux, mettez-les dans une terrine. Mettez en dernier les fruits les plus délicats, comme les bananes ou les fraises. Pour obtenir une meilleure macédoine, ajoutez une cuillerée de sucre en poudre et un jus de citron. Vous pouvez également l'assaisonner avec du yaourt nature ou aux fruits. Placez au réfrigérateur et, au bout d'une heure… slurp !!!

C'est vrai, j'adore les pizzas… mais les fruits sont excellents pour la santé, car ils sont riches en vitamines !

Quelque chose de personnel...

J'aurais tant de choses à vous raconter ! Voyons voir... Par quoi commencer ? Bon, avant tout, vous aurez compris que j'ADORE le rose !

C'est une couleur dont la mode ne passera jamais ! Vous vous rendez compte, c'est ma couleur préférée depuis que je suis toute petite ! Je voulais que tout soit rose : mes habits, les rubans pour mes chapeaux, mon cartable...

Aujourd'hui encore, je prends grand soin de mon look. D'après moi, les accessoires sont *très importants* : sacs, ceintures, chapeaux... *roses*, naturellement !

Mon *secret* de beauté ? Les cheveux. Ils doivent toujours être impeccables, vaporeux et parfumés à la rose !

Et puis, et puis, et puis...

Ah oui ! Vous aurez compris que, quand je suis nerveuse, je me fais un *shampoing* ou un soin des mains : ça fait tout passer !

Smack !

Un gros bisou *(et quelques petites fleurs roses)* avec toute mon affection,

Colette

Pour garder vos cheveux en pleine forme !

- N'utilisez jamais plus d'une cuillerée de shampoing à chaque lavage.
- Rincez-les à l'eau froide et ne laissez jamais de mousse dans les cheveux.
- Pour les sécher, enveloppez-les dans une serviette-éponge qui absorbera toute l'eau ; puis finissez rapidement avec un sèche-cheveux, à température moyenne.
- Ne séchez jamais vos cheveux en les frottant avec une serviette. Ça les abîme !
- Promenez-vous : le grand air fait du bien aux cheveux (et au corps !)

CHÈRE MARIA,

Raxford te plairait beaucoup (imagine un peu, de ma fenêtre, j'ai vue sur la mer !). Mes nouvelles amies sont très sympathiques et très mignonnes, même si elles se chamaillent un peu de temps en temps... Par exemple, parfois Violet, une fille chinoise, ne supporte pas Colette (qui vient de France), alors elles se disputent... C'est normal, parce qu'elles sont très différentes... COMME LE JOUR ET LA NUIT !

Violet est brune et s'habille toujours dans des teintes sombres. Colette est blonde et adore le rose. Violet est très ponctuelle, alors que, quand Colette se maquille, elle oublie tout le reste. Si elle a donné rendez-vous à quelqu'un, les araignées ont le temps de lui tisser des toiles dans les oreilles !

Elles se bagarrent un peu...

Et puis elles font la paix...

Bref, tout va bien. Mais tu me manques beaucoup, Maria ! ET TES TAQUINERIES ME MANQUENT AUSSI !!!

(C'est te dire à quoi j'en suis réduite !!!)

Heureusement, j'ai apporté la photo de nous, celle de la promenade dans les Andes... Tu te souviens ? Nous avions acheté ces drôles de petits chapeaux... Quand j'ai le mal du pays, je la regarde, et je retrouve ma bonne humeur !!!

Je t'aime !

PAULINA

P.-S. : Je t'envoie une fleur de Raxford !

MA SŒUR MARIA !

JE VIS NOSTALGIQUE !!!

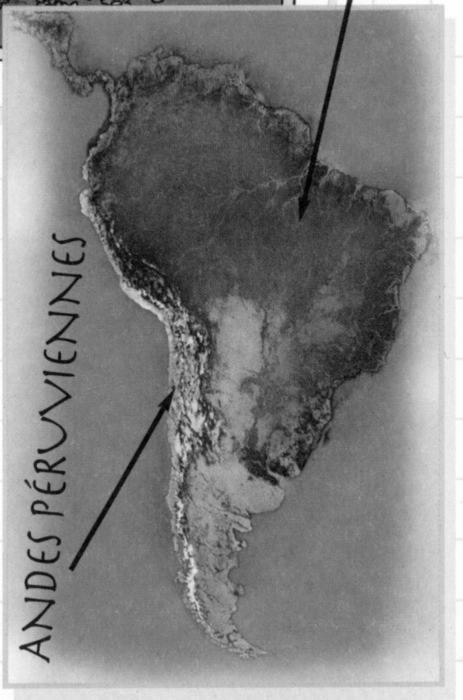

AMÉRIQUE DU SUD

ANDES PÉRUVIENNES

Les **Andes** sont une chaîne de montagnes de 7 000 kilomètres de long qui traversent du nord au sud toute l'Amérique du Sud : le Venezuela, la Colombie, l'Équateur, le Pérou, la Bolivie, le Chili et l'Argentine, jusqu'à la Terre de Feu. Le point culminant est l'Aconcagua (6 959 mètres) !

Salut à toutes !

Je veux vous raconter ce qui m'est arrivé il y a quelques mois, en Australie... Je me promenais dans le désert ; peu à peu, la nuit est tombée et j'ai décidé de dormir à la belle étoile. Heureusement, j'avais mon sac de couchage, parce que, chez nous, les journées sont très chaudes, mais les nuits... **brrr !** un froid félin !

J'étais presque endormie quand j'ai entendu un bruit bizarre. Au bout d'un moment, je l'ai entendu de nouveau ! Vous n'allez pas me croire : c'étaient les pierres du désert ! La journée avait été si chaude qu'elles s'étaient dilatées, et, la nuit, avec le changement de température, elles éclataient ! L'Australie est comme ça : **mystérieuse et fascinante !**

J'ai pris cette photo grâce au déclenchement automatique !

Nicky

Bouge !

L'activité physique est aussi bonne pour le corps que pour l'esprit !

Pratiquer un sport permet de garder la forme, tonifie le cœur, renforce l'ossature et aide à être toujours de bonne humeur ! Mais ce n'est pas tout ! Ça aide aussi quand on étudie, parce que, avec le mouvement, on décharge toutes les tensions !

Mais si vous décidez de pratiquer un sport, ne comptez pas tout de suite battre un record du monde ! Souvenez-vous qu'il faut du temps et de la patience.

Avant de faire du sport,
auffez toujours vos muscles !

Voici quelques exercices de **stretching**, c'est-à-dire d'étirement, pour échauffer les muscles des bras (**1**), du cou (**2**) et du dos (**3**) !

Chère Colette...

J'ai compris : tu es faite à ta façon (comme nous toutes !), tu aimes te maquiller et donner aux autres des diminutifs et des surnoms.

Ainsi, Paulina, tu l'appelles « Pilla ». Paméla devient « Pam », et Nicky « Nic » (abréger un prénom aussi court que Nicky, ça me paraît vraiment exagéré).

Moi, je n'aime pas du tout le surnom que tu m'as donné, « Vivì ». Et encore moins quand tu m'appelles « Princesse ». Je n'aime pas les surnoms !!!

Par exemple, chère Colette, que dirais-tu si je t'appelais...

Voyons voir :

Cocotte

Collerette

Collante

Colique !

Tu aimerais ça ? Je ne le crois pas.

Avec toute mon affection... Salut... Coquine !

Violet

Ce qui me tape sur les nerfs !

- La musique tonitruante (compris, Paméla ?).
- Les surnoms (compris, Colette ?).
- Les personnes qui bavardent quand elles devraient étudier (j'ai besoin de calme pour me concentrer !).
- Ceux qui se donnent des grands airs et se prennent pour je ne sais qui !
- Ceux qui disent du mal de vous dans votre dos !
- Qu'on se moque de moi (voilà, ça, c'est vraiment quelque chose que je ne supporte pas !!!).

Eh, vous ! Oui, vous qui lisez cette page : quelles sont les cho-ses qui vous tapent sur les nerfs ? Réfléchissez un peu et écrivez-le dans votre journal. Puis faites-le lire à votre meilleure amie !

Chère Vivì...

Mais non, je blague !

Allez, je recommence...

Chère Violet (c'est mieux, comme ça ?),

J'ai compris : avec toi, pas de surnoms...

Mais ne te fâche pas : chez moi, c'est naturel ! Et puis ils sont toujours affectueux...

Quoi qu'il en soit, moi aussi je veux être sincère avec toi : je n'aime pas quand tu fais la petite maîtresse, genre : « *Tu devrais faire ça* », ou « *Je te l'avais bien dit* ».

Je préfère quand tu as sommeil... Parce que, quand tu es fatiguée, tu t'inquiètes moins de ce que tu fais et de ce que tu dis, et tu n'es pas toujours là à essayer d'être la meilleure. Et puis tu fais une tête très comique...

Nous t'aimons toutes !

Vraiment !

Un gros gros bisou,

Colette

Ton portrait !

Je dessine bien, hein ?

Chère Violet, Je t'envoie les notes que j'ai prises pendant la leçon de journalisme de Téa !!!

Les conseils de Téa :

- Ne vous arrêtez pas aux apparences.
- Regardez les choses, même celles que vous connaissez bien, comme si c'était la première fois.
- Utilisez la fantaisie et soyez curieuse.
- Ne prenez pas de risques inutiles : si quelqu'un se propose de vous aider, acceptez.
- Si vous ne savez pas quoi faire, ne bougez pas et ne faites rien.
- Tout a un sens : il faut simplement savoir regarder !
- La différence est une richesse, parce que ceux qui sont différents de vous peuvent vous indiquer des voies et des solutions que vous ne pourriez même pas imaginer.
- Ne restez pas prisonniers de vos hypothèses ; si la route que vous avez prise ne vous conduit nulle part, c'est peut-être qu'il vaut mieux changer de direction.
- À chaque question, il y a une réponse… Cherchez-la et vous finirez bien par trouver !

Chère Paulina,

Je t'écris pour te dire que je suis heureuse, super-heureuse, archi-super-heureuse d'être à Raxford avec toi !

Je me souviens encore quand nous avons échangé nos premiers e-mails sur l'ordinateur ! Je t'ai parlé de ma nounou aborigène en Australie, et toi, de Maria, ta petite sœur au Pérou.

C'était merveilleux !

Qui aurait pu savoir, alors, que nous nous rencontrerions un jour et que nous partagerions la même chambre ?

La vie nous réserve toujours des surprises incroyables !

J'aimerais tant réussir à t'emmener courir avec moi, un jour : ce serait fantastique ! Et, à mon avis, tu adorerais ça.

Comme tu as pu le remarquer, si je ne bouge pas, je suis tellement nerveuse que j'ai les oreilles qui grésillent et la queue qui s'entortille.

Bon, tu sais ce que je te dis ? Je vais faire un petit footing (mais, d'abord, je vais me changer et lacer mes chaussures) !

Bises,

Je t'adore !!!

Nicky

Les Aborigènes !

Les Aborigènes sont la population originaire du continent Australien (ils sont là depuis 40 000 ans !).

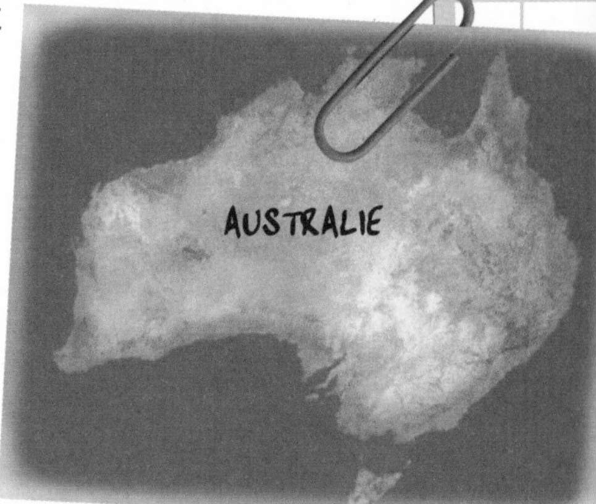

Les Aborigènes ont inventé un tas d'objets. Par exemple, pour communiquer entre eux sur de grandes distances, ils utilisent un instrument appelé **didjeridoo** (prononcer *didjeridou*). On le fabrique à l'aide d'une branche d'eucalyptus dont le cœur a été rongé par les termites (de grosses fourmis qui se nourrissent de bois). Quand on souffle dedans, il vibre et émet un son très puissant !

C'est moi !

Je vous présente mes sœurs et mes frères... Installez-vous confortablement, parce que nous sommes nombreux : cinq garçons et cinq filles (en me comptant) !!!

Je vous présenterai maman et papa une autre fois...

Paméla

Jouez avec moi !

Salut !
J'ai un service à vous demander : voulez-vous m'aider à dissiper mes doutes une fois pour toutes ???
Comment s'écrivent les mots ci-dessous ?
(Coche la bonne réponse.)

- ☐ orthographe ☐ ortographe
- ☐ aéroport ☐ aréoport
- ☐ accueil ☐ acceuil
- ☐ cauchemard ☐ cauchemar
- ☐ gramaire ☐ grammaire
- ☐ suffisemment ☐ suffisamment
- ☐ parmis ☐ parmi
- ☐ bloquage ☐ blocage
- ☐ abbréviation ☐ abréviation
- ☐ concour ☐ concours

Merci ! Je vous adore !
Vous êtes splendides, merveilleuses, etc.

(La solution se trouve page 201.)

Cher papa, chère maman,

C'est à vous que j'écris, mais je dois vous avertir que je ferai lire cette lettre à mes nouvelles amies. Oui, papa, je sais que tu hausses les sourcils. Tu penses même peut-être que *les choses privées doivent rester privées !* Je t'en prie, ne m'en veux pas... C'est important pour moi !

Donc, comme vous l'avez déjà compris, j'ai de nouvelles amies. C'est une grande nouvelle ! Vous le savez, je n'ai pas un caractère facile... En général, je reste dans mon coin et ceux qui m'entourent pensent que je suis dédaigneuse. Alors que ce n'est que de la timidité...

Ces nouvelles amies l'ont compris, et c'est aussi grâce aux conseils de notre professeur, mademoiselle Téa Stilton (papa, tu la connais sûrement). Téa nous a appris que chacune de nous est différente des autres, et que, toutes, nous avons des qualités importantes...

Par exemple, Paméla, une de mes nouvelles amies, est très forte en mécanique... Et, même si la musique classique la fait dormir, elle a été très importante pour résoudre une affaire ici, à Raxford. Nous sommes une équipe, et cela me rend très heureuse !

Ma maman est cantatrice

Mon papa est chef d'orchestre

J'oubliais... Papa, je t'envoie l'invitation au cours de « Journalisme d'aventure », comme ça tu pourras voir les belles matières que nous étudions...

À propos d'études, il est temps que je vous quitte ! Je vous réécrirai très vite.

Je vous embrasse très fort. Votre...

Violet

P.-S. : Raxford a un amphithéâtre où l'on peut donner des concerts. Ce serait bien si l'on pouvait en organiser un et vous faire venir, non ?

COURS DE

« JOURNALISME D'AVENTURE »

TROIS CONFÉRENCES SUR :
ÉCRITURE, LANGAGES, MYSTÈRES

AVEC LA PARTICIPATION DE :

- **PROFESSEUR HORACE WUNDERRAT**
Professeur de rongéologie et de ratiocination appliquée au collège de Raxford.
Conférence sur : *« Fromages et langages : manières de dire ratesques dans la presse contemporaine ».*

- **MADEMOISELLE TÉA STILTON**
Journaliste, envoyée spéciale de *l'Écho du rongeur.*
Conférence sur : *« Écrire est une aventure : techniques du journalisme d'investigation et d'aventure ».*

- **MONSIEUR BARTHOLOMÉ DELÉTINCELLE**
Chercheur attaché au collège de Raxford.
Cours sur : *« Mystères mystérieux : méthodes modernes d'enquête en archéologie, anthropologie et paléontologie ».*

Ce cours, qui se tiendra avant le début de l'année universitaire, est réservé, sur invitation, aux étudiantes et aux étudiants qui auront passé avec succès l'examen d'entrée au collège de Raxford.

UN DE PLUS, PAS UN DE MOINS !

SALUT !!!

C'est à moi.

Comme vous le savez, je suis péruvienne et j'ai une petite sœur (MARIA !).

J'ai une prédilection pour la technologie (ordinateurs, portables, PDA, GPS et autres instruments qui font BIIP !).

Je fais partie d'une association écologiste, Les « LES SOURIS BLEUES » (comme Nicky – coucou !).

À part ma sœur, ce que j'aime le plus au monde, c'est la nature. Je pense que, si nous nous y mettons tous, nous pouvons changer les choses, en mieux. Chacun, à sa PETITE échelle, peut faire BEAUCOUP ! Par exemple, pour économiser l'eau, il suffit de fermer le robinet chaque fois qu'on se lave les dents !

Je sais bien que, toute seule, je ne peux pas changer le monde, mais je peux laisser une TRACE, une EMPREINTE… quelque chose que les autres pourront reconnaître et suivre, quelque chose qui pourrait grandir avec le temps… et un jour… peut-être !

Réfléchissons-y, tous ensemble. D'accord ?

Je vous AIME BEAUCOUP !!!

PAULINA

LES ANIMAUX DE L'ÎLE DES BALEINES
LE PORC-ÉPIC
LONGUEUR : 56 À 68 CM
HAUTEUR : 15 À 20 CM
POIDS : 15 À 20 KG
Il vit dans un terrier souterrain (le terrier a de multiples entrées et sorties, pour permettre au porc-épic de s'échapper et de tromper les prédateurs).
Quand il a peur, il contracte les muscles de son corps, ce qui fait hérisser ses piquants.
Il ne sort que la nuit.
Il mange des tubercules, des bulbes, des racines, du maïs, des fruits, des écorces.
Ses piquants peuvent mesurer jusqu'à 40 cm ! Ils sont creux.
Pour s'orienter dans le noir, le porc-épic a des vibrisses, les mêmes sortes de poils que les chats ont sur le museau !
QUAND ON TROUVE DES PIQUANTS QUI SE DÉTACHENT AVEC FACILITÉ, ON EST SÛR QU'UN PORC-ÉPIC N'EST PAS LOIN !
SOLUTIONS DE : « COMMENT ÇA S'ÉCRIT ? »
ORTHOGRAPHE – AÉROPORT – ACCUEIL -- CAUCHEMAR – GRAMMAIRE – SUFFISAMMENT
PARMI – BLOCAGE – ABRÉVIATION – CONCOURS.

J'aimerais bien faire un saut en l'an 3000...

Juste un moment, pour voir comment on vivra dans mille ans !

Comme je suis une optimiste, j'imagine que :

1 Il n'y aura plus de choses laides !

2 Pour voyager, il suffira de penser très fort à un endroit ou à une personne et de fermer les yeux. Quand on les rouvrira, hop !, on sera là où on avait envie d'être !

3 On soignera l'acné avec de la crème glacée !

4 Les chats seront minuscuuuuuuules... des petites choses vraiment mignoooooonnes (hé ! hé !).

5 Pour étudier, on aura des livres qu'il... suffira de poser sur son front pour savoir tout ce qu'il y a dedans.

6 Il y aura des câlins pour tout le monde !

7 La mode sera « *comme ça te chante* » : chacun s'habillera comme il en a envie et personne n'aura rien à redire !

Minou-minou ! Viens ici... Je ne te ferai rien !

En l'an 3000, tout sera très beau !

Pamela

Ça, c'est Paulina !

Jouez avec moi !

Chères petites amies, aidez-moi à dissiper ces doutes sur le cri des animaux !!!

Qui parle comme ça ?

(Coche le nom de l'animal qui correspond au cri nommé dans la question.)

1. Quel est l'animal qui « glougloute » ?
   ☐ pigeon ☐ phacochère ☐ dindon
2. Qui « barrit » dans la jungle ?
   ☐ éléphant ☐ orang-outan ☐ ours
3. Qui « brame » dans la forêt ?
   ☐ aigle ☐ léopard ☐ cerf
4. Qui « meugle » ?
   ☐ bœuf ☐ lama ☐ girafe
5. Attention ! Qui « siffle » ?
   ☐ araignée ☐ serpent ☐ alouette
6. Qui « stridule » sur les branches ?
   ☐ papillon ☐ chauve-souris ☐ cigale
7. Qui « jappe » et « glapit » ?
   ☐ chien ☐ chat ☐ marmotte
8. Qui « coasse » ?
   ☐ paon ☐ grenouille ☐ pinson
9. Qui « pépie » ?
   ☐ puce ☐ poussin ☐ coq
10. Qui « grogne » ?
    ☐ cochon ☐ hippopotame ☐ taupe

(La solution se trouve page 211.)

Salut à toutes, c'est encore moi !

Je vais vous raconter un secret... qui n'est d'ailleurs pas si secret que ça... Bref, je mélange tout... Recommençons...

Bon, en vérité, j'ai toujours vécu dans les grands espaces. Pouvez-vous imaginer ce que c'est ? L'Australie est un pays immense et, en comparaison, elle n'a pas beaucoup d'habitants. C'est pour ça que, chaque fois que je me retrouve dans un endroit clos, j'ai l'impression d'étouffer. C'est pour ça que j'ouvre toujours les fenêtres en grand, même quand il fait très froid (oui, je sais que tu n'aimes pas ça, Violet... mais essaie de me comprendre).

Même quand nous sommes descendues toutes ensemble dans la Chambre du Dragon, brrrr !, j'étais tellement tendue que j'en avais la queue qui tremblait et j'étais pressée de sortir. Mais j'ai fait comme si de rien n'était (je n'ai pas été mauvaise, hein ?).

Voilà, c'était ça, mon secret...

Vous pouvez comprendre que, bien que je sois très sportive, je ne ferai jamais, mais vraiment jamais jamais jamais, de plongée sous-marine.

Rien que d'y penser, l'air me manque !!!...

Pourtant, je nage comme un poisson !

Nicky

Ce qui me rend heureuse

- Être avec mes parents !
- Être avec mes amis !
- Être au milieu de la nature, en compagnie des animaux !
- Recevoir des cadeaux !
- Faire des cadeaux !
- Avoir de bonnes notes à l'école !
- Courir ! Sauter ! Faire du sport !
- Recevoir et donner des sourires !
- Regarder l'aurore !
- Regarder le soleil couchant !
- Écouter de la musique !
- Les fêtes !

Et vous ?

- ------------------------------------
- ------------------------------------
- ------------------------------------
- ------------------------------------
- ------------------------------------

Salut, les Coquines ! (Salut, Violet !)

Je vais vous raconter autre chose sur moi (*« moi »*, c'est mon sujet préféré !).

Si vous voulez me faire chicoter de joie, offrez-moi une paire de lunettes (monture rose ! *Ob-li-ga-toi-re-ment* !!!)

Ou alors venez avec moi chez le coiffeur, pour faire un bon shampoing. Quand je sors de là, la tête toute vaporeuse, je suis folle de joie !

Ce qui me fait du bien, aussi, c'est de regarder dans le miroir et de voir que tout est en ordre et que je suis jolie.

Une dernière chose avant de vous saluer, parce qu'il est très tard et que, demain, le *Magnifique Recteur* nous donne un cours…

Je voulais vous dire que tous ceux qui s'imaginent que l'orange va remplacer le rose comme couleur à la mode ne savent pas de quoi ils parlent. Je vous en donne ma parole !

Bisous, bisous,
À demain !

Mes lunettes préférées !

Colette

Le jeu de Colette

Magnifique Recteur

Monsieur
Averti
Grave
Note
Intelligemment
Fait
Intervenir
Quelques
Uniques
Enseignants

Réellement
Exceptionnel
Car
Tellement
Eblouissant
Ultra
Rongeur

Téa Stilton

Téméraire
Emouvante
Aventurière

Souris
Très
Intelligente
Libre
Talentueuse
Organise
Nouveautés

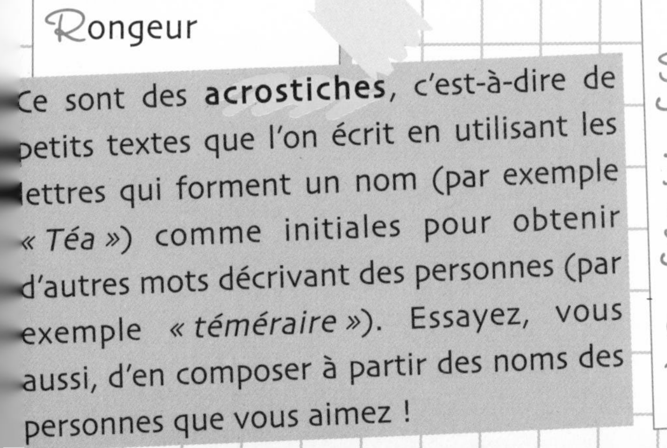

Ce sont des **acrostiches**, c'est-à-dire de petits textes que l'on écrit en utilisant les lettres qui forment un nom (par exemple *« Téa »*) comme initiales pour obtenir d'autres mots décrivant des personnes (par exemple *« téméraire »*). Essayez, vous aussi, d'en composer à partir des noms des personnes que vous aimez !

J'ai fait un rêve.

Il y avait mon papa, avec sa baguette de chef d'orchestre... Mais l'orchestre, c'était MOI ! (c'est-à-dire que je me multipliais et jouais non seulement du violon, mais de TOUS LES INSTRUMENTS !).

Il y avait aussi maman qui chantait une berceuse de sa voix mélodieuse... Il me semble bien qu'il y avait aussi, dans ce rêve, le pays de mes ancêtres, la Chine... mais je n'en suis pas sûre... Il y avait de drôles de couleurs, on aurait dit un tableau de ce peintre russe, Chagall.

J'en ai parlé à Bartholomé (monsieur Delétincelle), qui s'y connaît en psychologie et en interprétation des rêves. Il m'a dit que je me faisais peut-être du souci à cause de mes études et que, dans mon rêve, je me multiplie parce que je pense ainsi multiplier mes efforts. L'image de papa indique mon désir de ne pas me tromper (c'est lui qui m'a appris à me donner tout entière à mon travail !) ; l'image de maman qui chante la berceuse traduit mon envie de redevenir petite, à une période de ma vie où je n'avais pas tous ces soucis.

Il m'a dit qu'il est normal de vouloir grandir et devenir meilleur – et souhaiter, en même temps, être encore petit. Il dit que ça lui arrive encore à lui !

Monsieur Delétincelle sait plein de choses.

Je passerais des heures à l'écouter parler !!!

Bon, je vais réviser !

Salut !

Violet

Le rêve de Violet

On dirait un tableau de Chagall !

J'adore la peinture !!!

Marc Chagall (Vitebsk, Russie, 1887 ; Saint-Paul-de-Vence, France, 1985).
Son style, très coloré, mélange des éléments venus de l'enfance, le rêve et la réalité. En plus de ses tableaux, Chagall a réalisé des mosaïques et des décors de théâtre. Ses œuvres figurent dans les plus grands musées du monde et dans de nombreux bâtiments publics, comme l'Opéra Garnier, à Paris, et le siège des Nations unies, à New York.

Je ne comprends pas...

• Je ne comprends pas les gens qui se disputent... Surtout, je ne comprends pas ceux qui se disputent pour des bêtises, par exemple parce qu'ils veulent toujours avoir raison !

• Je ne comprends pas les gens qui sont arrogants ! Par exemple ceux qui, dans une file d'attente, essaient par tous les moyens de passer devant et qui vous regardent de travers si vous protestez.

• Je ne comprends pas ceux qui s'en prennent aux plus petits ou aux animaux... Ceux-là sont des RATONS D'ÉGOUT !

Ils sont PIRES QUE LES CHATS (c'est tout dire !).

• Je ne comprends pas ceux qui disent du mal de moi dans mon dos et répandent d'horribles choses sur mon compte, rien que pour me ridiculiser.
Pourquoi font-ils cela ?
Ça les avance à quoi ?
Bah ! je n'en ai pas la moindre idée !

BISOUS À TOUTES !!!

PAULINA

VOICI POURQUOI :

- Je suis contente parce que Colette et Violet ont fait la paix !
- Je suis contente parce que j'apprends des choses nouvelles et passionnantes !
- Je suis contente parce que j'ai entendu ma petite sœur au téléphone et que nous nous sommes fait un tas de bisous (et qu'on va bientôt se revoir) !
- Je suis contente parce que le soleil est tiède et l'air pur.
- Je suis contente parce que, toutes les **5**, nous nous entendons à merveille !
- Je suis contente parce que je me suis fait plein d'amies qui sont comme des sœurs !
- Je suis contente parce que j'ai mis des miettes sur le rebord de ma fenêtre et que, tous les jours, les oiseaux me rendent visite !

SOLUTION DE « QUI PARLE COMME ÇA? »

1. LE DINDON « GLOUGLOUTE » – 2. L'ÉLÉPHANT « BARRIT » – 3. LE CERF « BRAME » – 4. LE BŒ(MAIS AUSSI LA VACHE, LE TAUREAU, LE BUFFLE, ETC.) « MEUGLE » – 5. LE SERPENT « SIFFLE » – 6. LA CIGALE « STRIDULE » – 7. LE CHIEN « ABOIE », « JAPPE », « GLAPIT », « GROGNE » ET « HURLE » – 8. LA GRENOUILLE « COASSE » – 9. LE POUSSIN « PÉPIE » – 10. LE COCHON « GROGNE » (COMME LE PHACOCHÈRE ET LE SANGLIER).

Chère Téa,

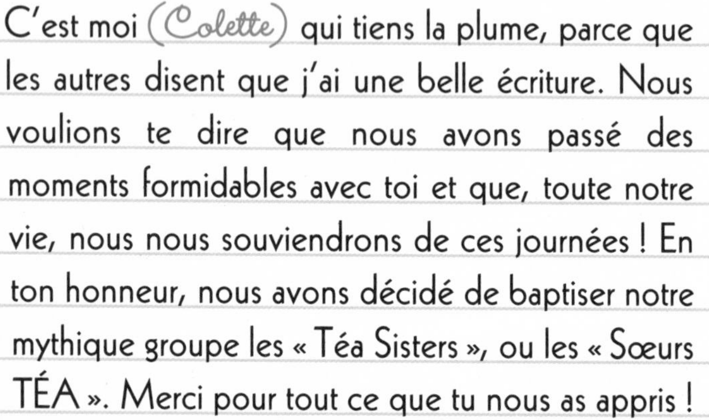

C'est moi (Colette) qui tiens la plume, parce que les autres disent que j'ai une belle écriture. Nous voulions te dire que nous avons passé des moments formidables avec toi et que, toute notre vie, nous nous souviendrons de ces journées ! En ton honneur, nous avons décidé de baptiser notre mythique groupe les « Téa Sisters », ou les « Sœurs TÉA ». Merci pour tout ce que tu nous as appris ! Et puis... Zut ! Voilà que je m'attendris... bon... Nous voulions simplement te dire une chose :

TU ES GÉNIALE !!!

Pour être sûres que tu ne nous oublieras pas, nous t'envoyons une photo (tu te souviens ? C'est monsieur Delétincelle qui l'a prise).
À bientôt !

Bisous, Bisous, BISOUS !!

Paméla
Colette
Nicky
C'est nous !!!
Paulina
Les mythiques...
Téa Sisters !
Violet
u revoir, à la prochaine aventure !

TABLE DES MATIÈRES

UNE MYSTÉRIEUSE INVITATION 13

UN DRAGON AVEC UN « R » ENTRE LES PATTES ! 17

NUIT D'ÉTOILES ET DE VŒUX 20

T'AS TROUVÉ TON PERMIS DANS UNE POCHETTE-SURPRISE ? 26

BELLÂTRE SEPTMERVEILLES 29

CINQ FILLES À L'AIR ÉVEILLÉ 32

SOUPIR DE SOURIP ! 36

UN DE PLUS, PAS UN DE MOINS ! 40

TOUT L'HONNEUR EST POUR MOI ! 47

QUELLE SOURIS BIZARRE ! 54

QUELQUES PETITES CHAMAILLERIES... 61

CRI-CRI-CRI... SCOUIIIIIIIT !!! 68

TONNERRE, FOUDRE ET ÉCLAIRS 74

IL Y A UN PROBLÈME ? 80

QUI EST-CE QUI HULULE ? 85
LA SÉRÉNADE DU BON RÉVEIL 88
OÙ EST PASSÉ HANS RATELLO ? 93
DES HISTOIRES ANCIENNES ET MYSTÉRIEUSES 98
LA CHAMBRE DU DRAGON 103
DERRIÈRE CHAQUE LÉGENDE, IL Y A UN PEU DE VÉRITÉ 111
CHAPERLIPOPETTE ET SAPRISOURISTI ! 116
BIP ! BIP ! BIP ! 119
D COMME... DRAGON 122
NAISSANCE D'UNE VÉRITABLE ÉQUIPE 129
LE CODE DU DRAGON 138
IL Y A PEUT-ÊTRE D'AUTRES PIÈGES... 146
AAAAAHHHHH... SPLASH !!! 150
CE GARS, ENFIN CE RAT, JE LE CONNAIS ! 155
MAIS QUI EST CE TYPE PENDU LA TÊTE EN BAS ? 161
UNE DÉCISION DIFFICILE... 164
MIEUX QUE DES AMIES : DES SOEURS ! 170
JOURNAL À DIX PATTES ! 180

Dans notre prochaine aventure...

LA MONTAGNE QUI PARLE

Quelqu'un cherche à détruire la ferme de Nicky en Australie. Pour elle, Violet, Paméla, Colette et Paulina, l'heure de l'aventure a de nouveau sonné ! Les Téa Sisters débarquent dans ce lointain continent pour une mission à haut risque. Entre les pièges tendus par un ennemi invisible et les dangers d'un territoire inexploré, les Téa Sisters partiront sur les traces d'une tribu perdue, au cœur de la mystérieuse *montagne qui parle*. Là où aucune souris n'avait mis les pattes avant elles...

DANS LA MÊME COLLECTION

1. Le Sourire de Mona Sourisa
2. Le Galion des chats pirates
3. Un sorbet aux mouches pour monsieur le Comte
4. Le Mystérieux Manuscrit de Nostraratus
5. Un grand cappuccino pour Geronimo
6. Le Fantôme du métro
7. Mon nom est Stilton, Geronimo Stilton
8. Le Mystère de l'œil d'émeraude
9. Quatre Souris dans la Jungle-Noire
10. Bienvenue à Castel Radin
11. Bas les pattes, tête de reblochon !
12. L'amour, c'est comme le fromage...
13. Gare au yeti !
14. Le Mystère de la pyramide de fromage
15. Par mille mimolettes, j'ai gagné au Ratoloto !
16. Joyeux Noël, Stilton !
17. Le Secret de la famille Ténébrax
18. Un week-end d'enfer pour Geronimo
19. Le Mystère du trésor disparu
20. Drôles de vacances pour Geronimo !
21. Un camping-car jaune fromage
22. Le Château de Moustimiaou
23. Le Bal des Ténébrax
24. Le Marathon du siècle
25. Le Temple du Rubis de feu
26. Le Championnat du monde de blagues
27. Des vacances de rêve à la pension Bellerate
28. Champion de foot !
29. Le Mystérieux Voleur de fromages
30. Comment devenir une super souris en quatre jours et demi
31. Un vrai gentilrat ne pue pas !

32. Quatre Souris au Far-West
33. Ouille, ouille, ouille... quelle trouille !
34. Le Karaté, c'est pas pour les ratés !
35. Attention les moustaches... Sourigon arrive !
36. L'Île au trésor fantôme
37. Au secours, Patty Spring débarque !
38. La Vallée des squelettes géants
39. Opération sauvetage
40. Retour à Castel Radin
41. Enquête dans les égouts puants
42. Mot de passe : Tiramisu
43. Dur dur d'être une super souris !

- Hors-série
  Le Voyage dans le temps (tome I)
  Le Voyage dans le temps (tome II)
  Le Royaume de la Fantaisie
  Le Royaume du Bonheur
  Le Secret du Courage
  Énigme aux jeux Olympiques

- Téa Sisters
  Le Code du dragon
  Le Mystère de la montagne rouge
  La Cité secrète
  Mystère à Paris

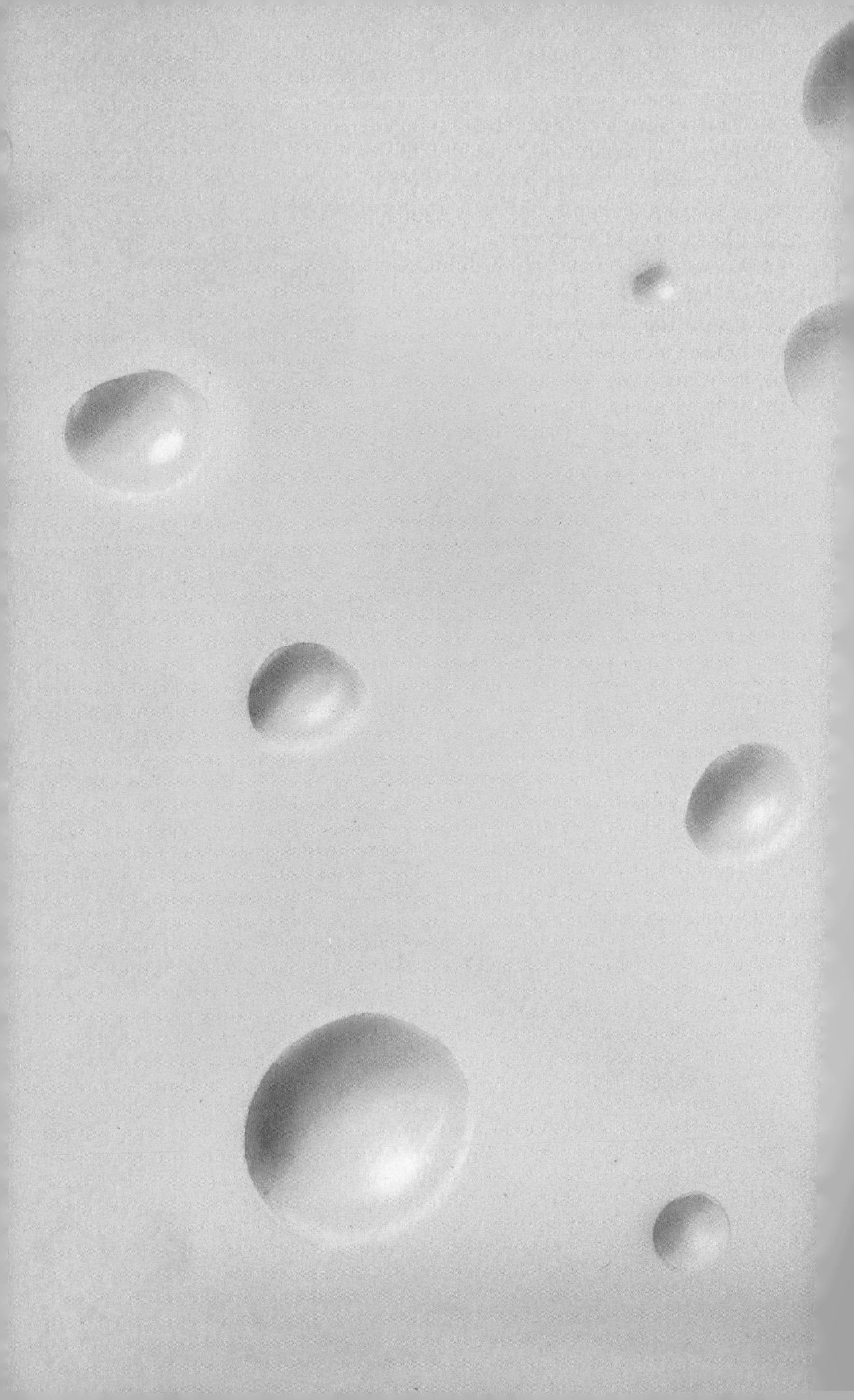

N
S
25
2
1
5
24
3
11
21
23
9
22
10
14
11
19
18
13
20
12
4
15
16
ÎLE
DES BALEINES
17

L'île des Baleines

1. Pic du Faucon
2. Observatoire astronomique
3. Mont Ébouleux
4. Installations photovoltaïques pour l'énergie solaire
5. Plaine du Bouc
6. Pointe Ventue
7. Plage des Tortues
8. Plage Plageuse
9. Collège de Raxford
10. Rivière Bernicle
11. *L'Antique Cancoillotterie*, restaurant et siège des *Messageries Ratiques – Transports maritimes*
12. Port
13. Maison des Calamars
14. *Zanzibazar*
15. Baie des Papillons
16. Pointe de la Moule
17. Rocher du Phare
18. Rochers du Cormoran
19. Forêt des Rossignols
20. Villa Marée, laboratoire de biologie marine
21. Forêt des Faucons
22. Grotte du Vent
23. Grotte du Phoque
24. Récif des Mouettes
25. Plage des Ânons

Au revoir,
à la prochaine aventure !

COLLÈGE
DE
R
RAXFORD